2025年度版

TAC 税理士講座

税理士受験シリーズ

43

固定資産税

理論マスター

はじめに

本書は、国家試験の中でも難易度の高い税理士試験の受験生向けに、固定資産税の理論の中から、税理士試験の傾向を充分に分析したうえで、税理士試験合格に必要な論点について記述したものである。

本書の構成としては、基本的な条文を中心に令和６年度地方税法改正点を取り込み、また、制度の趣旨や概要を織りまぜながら、受験生に理解しやすく、かつ、覚えやすいように配慮して組み立ててある。

税理士試験における固定資産税の理論問題は、個別理論で出題される場合と応用理論で出題される場合とがある。したがって、税理士試験では個別理論の暗記なくしては合格はあり得ないが、本書をただ単に暗記するだけではなく、固定資産税の理論の体系及び個々の理論の相互関連をしっかり理解したうえでの暗記が必要不可欠となる。

ＴＡＣ税理士講座

本書を使用する際の注意点

1　テーマについて

法体系の確認がしやすいように、各理論問題については、テーマごとに分けて収録し、各テーマをページの上部に表示してあります。

また、各理論問題は、各テーマに属する枝番号（1−1等）で表示してあります。

法令の体系的な学習（応用理論対策等）に役立ててください。

2　ランクについて

各理論問題について、その科目を学習する上での重要度（ランク）を、理論問題のタイトルの横に表示してあります。

理論学習をする際の指針としてください。

ランクＡ　……　学習をするにあたって非常に重要度の高い理論問題

ランクＢ　……　学習をするにあたって比較的重要度の高い理論問題

ランクＣ　……　学習をするにあたって比較的重要度の低い理論問題

3　重要度について

各理論問題の中の各項目について、その理論問題の中での重要度を、項目のタイトルの横に表示してあります。

理論学習をする際の指針としてください。

◎　……　その理論問題の中で非常に重要度の高い項目

○　……　その理論問題の中で比較的重要度の高い項目

△　……　その理論問題の中で比較的重要度の低い項目

4　カッコ書きについて

本文中のカッコ書きについては、本文との区別がしやすいように文字の大きさを小さくして収録してあります。

まずはカッコ書きを除いて文章を確認し、その後、カッコ書きを付け足す形で確認をすると学習しやすくなりますので、参考にしてください。

5　条文番号について

各理論問題の中の各項目について、参照して頂く条文番号を表示してありますが、条文番号については暗記（解答）する必要はありません。

本書の特長

1．税理士試験の出題傾向を充分に分析したうえで、固定資産税受験に必要な個別理論26題を厳選収録してある。
2．それぞれの個別理論については、条文（地方税法）により、その内容を直接確認することができるように、条文番号を明示してある。なお「法」とは、地方税法の略であり、例えば『法348②一』は地方税法第348条第２項第一号をあらわしている。
3．その他関連事項等、学習上必要と思われる項目については、**《参考》**として掲げてある。
4．税理士試験の過去の出題傾向が分析できるように、第64回以降の本試験について、その内容・形式・難易度について、詳しく分類・整理してある。
5．すべての本試験について、税理士試験の出題表現を知ることができるように年度順出題理論を収録してある。

本書の有効的利用法

本書は、税理士試験の固定資産税受験に必要な理論問題を収録しているが、その利用にあたっては、次の点に留意してもらいたい。
1．本書は個別理論（本試験問題）に対する模範解答（解答例）として位置づけられるものであることを認識してもらいたい。
2．本試験対策の第一段階として、まず本書に収録されている個別問題について、内容をしっかり理解するとともに、きちんと書くことができるように暗記してもらいたい。
3．個別問題が理解できたら、第二段階（応用理論対策）として、個別理論相互間の関連等の理解を深めてもらいたい。その際、設問の設定の仕方、解答用紙の枚数により、解答範囲、解答内容が当然異なってくる点を認識するとともに、過去問題編を参考に学習してもらいたい。
4．本書は、令和６年７月現在の施行法令により作成されている。令和７年度の本試験受験にあたっては、その後の法令の改正等（特に、令和７年度地方税法改正）に充分注意してもらいたい。

CONTENTS

目　次

テーマ1

課税要件

1−1　課　税　客　体　〔ランクＢ〕

１．概　要（法341、342①）　重要度○

固定資産税の課税客体は、固定資産である。固定資産とは、土地、家屋及び償却資産を総称するものである。

２．意　義（法341）　重要度◎

(1) 土　地

土地とは、田、畑、宅地、塩田、鉱泉地、池沼、山林、牧場、原野その他の土地をいう。

(2) 家　屋

家屋とは、住家、店舗、工場（発電所及び変電所を含む。）、倉庫その他の建物をいう。

(3) 償却資産

償却資産とは、土地及び家屋以外の事業の用に供することができる資産（鉱業権、漁業権、特許権その他の無形減価償却資産を除く。）でその減価償却額又は減価償却費が法人税法又は所得税法の規定による所得の計算上損金又は必要な経費に算入されるもののうち、少額減価償却資産又は一括償却資産の規定によりその取得価額の全部又は一部が損金又は必要な経費に算入される資産以外のもの（これに類する資産で法人税又は所得税を課されない者が所有するものを含む。）をいう。

ただし、自動車税の種別割の課税客体である自動車並びに軽自動車税の種別割の課税客体である原動機付自転車、軽自動車、小型特殊自動車及び二輪の小型自動車を除くものとする。

３．範　囲（343⑧⑩）　重要度○

(1) 土　地

① 公有水面の埋立地等

公有水面埋立法の規定により竣功認可前に使用する埋立地若しくは干拓地（以下「埋立地等」という。）又は国が埋立て若しくは干拓により造成する竣功の通知前の埋立地等で工作物を設置し、その他土地を使用する場合と同様の状態で使用されているもの（工事に関して使用されているものを除く。）については、これらの埋立地等をもって土地とみなして、固定資産税を課することができる。

②　立木、菜草等

固定資産税の課税客体となる土地とは、田、畑、宅地、山林等の土地それ自体をいうのであって、土地に定着する立木、菜草等は、課税客体に含まれない。

(2) 家　屋

①　特定附帯設備

家屋の附帯設備であって、当該家屋の所有者以外の者がその事業の用に供するため取り付けたものであり、かつ、当該家屋に付合したことにより当該家屋の所有者が所有することとなったもの（以下「特定附帯設備」という。）については、当該取り付けた者の事業の用に供することができる資産である場合に限り、当該取り付けた者をもって所有者とみなし、当該特定附帯設備のうち家屋に属する部分は家屋以外の資産とみなして、固定資産税を課することができる。

②　簡易建築物

鶏舎、豚舎、堆肥舎等は構造、規模等の簡易なものが多く、社会通念上家屋と認められないものがほとんどであるため、これらについては原則として課税客体に含まれない。

(3) 償却資産

①　特定附帯設備

上記(2)①と同様。

②　リース資産

リース資産にあっては、当該リース資産の所有者が当該リース資産を取得した際における取得価額が20万円未満のものは課税客体に含まれない。

③　遊休・未稼働資産

固定資産税の課税客体である償却資産とは、事業の用に供することができるものであるとされているため、遊休・未稼働資産も課税客体に含まれる。

ただし、いわゆる貯蔵品とみられるものは、棚卸資産に該当するので、課税客体に含まれない。

④　償却済資産等

固定資産税の課税客体である償却資産とは、減価償却額又は減価償却費が、当該資産の性質上損金又は必要な経費に算入されるべきものであれば足りるものとされているため、すでに減価償却の終わった償却済資産や赤字決算のため減価償却を行っていない資産も課税客体に含まれる。

⑤　生　物

牛、馬、果樹その他の生物は、これらの資産の性質にかんがみ、課税客体に含まれない。

⑥　簿外資産

簿外資産も事業の用に供し得るものについては、課税客体に含まれる。

⑦　建設中仮勘定

建設中仮勘定において経理されているものであっても、その一部が賦課期日までに完成し、事業の用に供されているものは、課税客体に含まれる。

４．賦課期日との関係（法359）　重要度△

固定資産税においては、賦課期日の現況により課税要件が確定することとされている。したがって、当該年度の賦課期日において、固定資産として現実に所在するものが課税客体となる。

＊　固定資産税の賦課期日は、当該年度の初日の属する年の１月１日とする。

（MEMO）

1－2　課税団体　〔ランクA〕

1．原　則（法342①）　重要度◎

固定資産税は固定資産に対し、当該固定資産所在の市町村において課する。
したがって、原則として、固定資産の所在市町村が課税団体となる。

2．都の特別区（法734①）　重要度○

東京都の特別区の存する区域については、都が固定資産税を課する。

3．公有水面の埋立地等（法343⑧）　重要度△

公有水面埋立法の規定により竣功認可前に使用する埋立地若しくは干拓地（以下「埋立地等」という。）又は国が埋立て若しくは干拓により造成する竣功の通知前の埋立地等で工作物を設置し、その他土地を使用する場合と同様の状態で使用されているもの（工事に関して使用されているものを除く。）のうち、土地とみなされ固定資産税が課税される埋立地等については、当該埋立地等が隣接する土地の所在する市町村をもって、当該埋立地等が所在する市町村とみなす。
したがって、埋立地等が隣接する土地の所在市町村が課税団体となる。

4．移動性償却資産又は可動性償却資産（法342②）　重要度◎

償却資産のうち船舶、車両その他これらに類する物件については、下記５．の適用がある場合を除き、その主たる定けい場又は定置場所在の市町村を当該固定資産所在の市町村とし、船舶についてその主たる定けい場が不明である場合には、定けい場所在の市町村で船籍港があるものを主たる定けい場所在の市町村とみなす。
したがって、その主たる定けい場又は定置場所在の市町村が課税団体となる。

5．総務大臣指定資産（法389①）　重要度◎

次に掲げる固定資産については、道府県知事又は総務大臣が評価を行った後、その固定資産が所在するものとされる市町村及びその価格等を決定し、当該市町村にその決定した価格等を配分することとされており、その価格等の配分を受けた市町村が課税団体となる。

＊(1)　総務省令で定める船舶、車両その他の移動性償却資産又は可動性償却資産で二以上の市町村にわたって使用されるもののうち総務大臣が指定するもの

(2)　鉄道、軌道、発電、送電、配電若しくは電気通信の用に供する固定資産又は二以上の市町村にわたって所在する固定資産で、その全体を一の固定資産として評価しなければ適正な評価ができないと認められるもののうち総務大臣が指定するもの

６．大規模の償却資産（法349の４①、740、734④）　重要度◎

大規模の償却資産については、市町村は、課税定額までを課税標準として固定資産税を課する。また、市町村の課税定額を超える部分の金額については、当該市町村を包括する道府県の普通税として固定資産税を課する。

したがって、大規模の償却資産については、その所在市町村が課税団体となるほか、それを包括する道府県も課税団体となる。

なお、大規模の償却資産に対する市町村の課税制限は、東京都の特別区及び地方自治法に規定する指定都市については適用されない。

＊　大規模の償却資産とは、一の納税義務者が所有する償却資産で、その価額の合計額が市町村の人口段階に応じて法定されている金額を超えるものをいう。

７．賦課期日との関係（法359）　重要度△

固定資産税においては、賦課期日の現況により課税要件が確定することとされている。したがって、当該年度の賦課期日において、固定資産が所在している市町村が課税団体となる。

＊　固定資産税の賦課期日は、当該年度の初日の属する年の１月１日とする。

1－3　納税義務者　〔ランクＡ〕

１．原　則（法343①～③）　重要度◎

(1) 内　容

固定資産税は、固定資産の所有者に課する。すなわち、固定資産税の納税義務者は所有者である。

(2) 所有者

①　土地又は家屋

(イ) 土地又は家屋の所有者は、登記簿又は土地補充課税台帳若しくは家屋補充課税台帳に所有者（区分所有に係る家屋については、区分所有者とする。）として登記又は登録がされている者をいう。

(ロ) 上記(イ)の場合において、所有者として登記又は登録がされている個人が賦課期日前に死亡しているとき、若しくは所有者として登記又は登録がされている法人が同日前に消滅しているとき、又は所有者として登記されている国、都道府県、市町村等の固定資産税の非課税団体が同日前に所有者でなくなっているときは、賦課期日において当該土地又は家屋を現に所有している者をいう。

②　償却資産

償却資産の所有者は、償却資産課税台帳に所有者として登録されている者をいう。

２．質権者又は地上権者（法343①）　重要度◎

質権又は百年より長い存続期間の定めのある地上権の目的である土地については、その質権者又は地上権者が納税義務者となる。

３．みなす所有者（法343④～⑩）　重要度◎

(1) 所有者が不明の固定資産

①　市町村は、固定資産の所有者の所在が震災、風水害、火災その他の事由により不明である場合には、その使用者を所有者とみなして、固定資産課税台帳に登録し、その者に固定資産税を課することができる。

② 市町村は、相当な努力が払われたと認められるものとして政令で定める方法により探索を行ってもなお固定資産の所有者の存在が不明である場合（上記①の場合を除く。）には、その使用者を所有者とみなして、固定資産課税台帳に登録し、その者に固定資産税を課することができる。

③ 上記①、②の場合において、当該市町村は、当該登録をしようとするときは、あらかじめ、その旨を当該使用者に通知しなければならない。

(2) 国が買収し、又は収納した農地等

農地法の規定により農林水産大臣が管理する土地又は相続税法等の規定により国が収納した農地については、次に掲げる期間に応じ、それぞれに定める者を所有者とみなす。

① 買収し、又は収納した日から国が当該土地又は農地を他人に売り渡し、その所有権が売渡しの相手方に移転する日までの間

⇨ その使用者

② その日後当該売渡しの相手方が登記簿に所有者として登記される日までの間

⇨ その売渡しの相手方

(3) 土地区画整理事業等の施行に係る土地

土地区画整理法による土地区画整理事業又は土地改良法による土地改良事業の施行に係る土地については、仮換地等の指定があった場合、又は仮使用地がある場合には、次に掲げる期間に応じ、それぞれに定める者を所有者とみなすことができる。

① 当該仮換地等又は仮使用地について使用し、又は収益することができるようになった日から換地処分の公告がある日又は換地計画の認可の公告がある日までの間

⇨(イ) 仮換地等にあっては当該仮換地等に対応する従前の土地について登記簿又は土地補充課税台帳に所有者として登記又は登録がされている者

(ロ) 仮使用地にあっては土地区画整理法による土地区画整理事業の施行者以外の仮使用地の使用者

② 換地処分の公告があった日又は換地計画の認可の公告があった日から換地又は保留地を取得した者が登記簿に当該換地又は保留地に係る所有者として登記される日までの間

⇨ 当該換地又は保留地を取得した者

(4) 公有水面の埋立地等

公有水面埋立法の規定により竣功認可前に使用する埋立地若しくは干拓地（以下「埋立地等」という。）又は国が埋立て若しくは干拓により造成する竣功の通知前の埋立地等で工作物を設置し、その他土地を使用する場合と同様の状態で使用されているもの（工事に関して使用されているものを除く。）のうち、土地とみなされ固定資産税が課税される埋立地等については、次に掲げる場合に応じ、それぞれに定める者を所有者とみなす。

① 都道府県等以外の者が公有水面埋立法の規定により使用する埋立地等の場合

⇨ 当該埋立地等の使用者

② 都道府県等が公有水面埋立法の規定により使用し、又は国が埋立て若しくは干拓により造成する埋立地等の場合

⇨ 都道府県等又は国が当該埋立地等を都道府県等又は国以外の者に使用させている場合に限り、当該埋立地等の使用者

(5) 信託償却資産

信託会社が信託の引受けをした償却資産で、その信託行為の定めるところにしたがい当該信託会社が他の者にこれを譲渡することを条件として当該他の者に賃貸しているものについては、当該償却資産が当該他の者の事業の用に供するものであるときは、当該他の者をもって所有者とみなす。

(6) 特定附帯設備

家屋の附帯設備であって、当該家屋の所有者以外の者がその事業の用に供するため取り付けたものであり、かつ、当該家屋に付合したことにより当該家屋の所有者が所有することとなったもの（以下「特定附帯設備」という。）については、当該取り付けた者の事業の用に供することができる資産である場合に限り、当該取り付けた者をもって所有者とみなし、当該特定附帯設備のうち家屋に属する部分は家屋以外の資産とみなして、固定資産税を課することができる。

４．その他の特例（法10の２①、342③、352①、352の２①）　重要度○

(1) 共有物

共有物に対する固定資産税については、その共有者が連帯して納付する義務を負う。

(2) 所有権留保付売買に係る償却資産

償却資産に係る売買があった場合において売主が当該償却資産の所有権を留保しているときは、固定資産税の賦課徴収については、当該償却資産は、売主及び買主の共有物とみなし、売主及び買主が連帯して納付する義務を負う。

ただし、社会の納税意識に合致するよう原則として買主に対して課税するものとする。

(3) 区分所有家屋の特例

区分所有家屋に対して課する固定資産税については、区分所有法に規定する区分所有者は、共有物の連帯納税義務の規定にかかわらず、当該区分所有家屋に係る固定資産税額を専有部分の床面積の割合により按分した額を納付する義務を負う。

(4) 区分所有家屋の敷地の特例

区分所有家屋の敷地の用に供されている土地（以下「共用土地」という。）で、一定の要件を満たすものに対して課する固定資産税については、共用土地納税義務者は、共有物の連帯納税義務の規定にかかわらず、当該共用土地に係る固定資産税額を各共用土地納税義務者の当該共用土地に係る持分の割合により按分した額を納付する義務を負う。

5．賦課期日との関係（法359）　重要度△

固定資産税においては、賦課期日の現況により課税要件が確定することとされている。したがって、当該年度の賦課期日において、固定資産の所有者とされる者が納税義務者となる。

＊　固定資産税の賦課期日は、当該年度の初日の属する年の１月１日とする。

《参考》相続による納税義務の承継（法９①②）

(1) 相続があった場合には、その相続人は、被相続人の地方団体の徴収金を納付しなければならない。

(2) 相続人が２人以上あるときは、各相続人は、被相続人の地方団体の徴収金を民法の規定によるその相続分によりあん分して計算した額を納付しなければならない。

1－4　土地又は家屋の課税標準　〔ランクＢ〕

１．概　要（法341）　重要度△

固定資産税の課税標準は、固定資産課税台帳に登録された固定資産の価格である。

＊　価格とは適正な時価をいう。

２．課税標準（349①～⑥）　重要度○

(1)　基準年度の土地又は家屋

①　基準年度

基準年度に係る賦課期日に所在する土地又は家屋（以下「基準年度の土地又は家屋」という。）に対して課する基準年度の固定資産税の課税標準は、当該土地又は家屋の基準年度に係る賦課期日における価格（以下「基準年度の価格」という。）で土地課税台帳若しくは土地補充課税台帳（以下「土地課税台帳等」という。）又は家屋課税台帳若しくは家屋補充課税台帳（以下「家屋課税台帳等」という。）に登録されたものとする。

②　第二年度

基準年度の土地又は家屋に対して課する第二年度の固定資産税の課税標準は、当該土地又は家屋に係る基準年度の固定資産税の課税標準の基礎となった価格で土地課税台帳等又は家屋課税台帳等に登録されたものとする。

ただし、基準年度の土地又は家屋について第二年度の固定資産税の賦課期日において次に掲げる事情があるため、基準年度の固定資産税の課税標準の基礎となった価格によることが不適当であるか又は当該市町村を通じて固定資産税の課税上著しく均衡を失すると市町村長が認める場合には、当該土地又は家屋に対して課する第二年度の固定資産税の課税標準は、当該土地又は家屋に類似する土地又は家屋の基準年度の価格に比準する価格で土地課税台帳等又は家屋課税台帳等に登録されたものとする。

(ｲ)　地目の変換、家屋の改築又は損壊その他これらに類する特別の事情

(ﾛ)　市町村の廃置分合又は境界変更

③　第三年度

基準年度の土地又は家屋に対して課する第三年度の固定資産税の課税標準は、当該土地又は家屋に係る基準年度の固定資産税の課税標準の基礎となった価格（第二年度において上記②のただし書きの適用があった場合には、その価格とする。）で土地課税台帳等又は家屋課税台帳等に登録されたものとする。

ただし、基準年度の土地又は家屋について第三年度の固定資産税の賦課期日において上記②の(イ)、(ロ)に掲げる事情があるため、基準年度又は第二年度の固定資産税の課税標準の基礎となった価格によることが不適当であるか又は当該市町村を通じて固定資産税の課税上著しく均衡を失すると市町村長が認める場合には、当該土地又は家屋に対して課する第三年度の固定資産税の課税標準は、当該土地又は家屋に類似する土地又は家屋の基準年度の価格に比準する価格で土地課税台帳等又は家屋課税台帳等に登録されたものとする。

(2)　第二年度の土地又は家屋

①　第二年度

第二年度において新たに固定資産税を課することとなる土地又は家屋（以下「第二年度の土地又は家屋」という。）に対して課する第二年度の固定資産税の課税標準は、当該土地又は家屋に類似する土地又は家屋の基準年度の価格に比準する価格で土地課税台帳等又は家屋課税台帳等に登録されたものとする。

②　第三年度

第二年度の土地又は家屋に対して課する第三年度の固定資産税の課税標準は、当該土地又は家屋に係る第二年度の固定資産税の課税標準の基礎となった価格で土地課税台帳等又は家屋課税台帳等に登録されたものとする。

ただし、第二年度の土地又は家屋について、第三年度の固定資産税の賦課期日において上記(1)②の(イ)、(ロ)に掲げる事情があるため、第二年度の固定資産税の課税標準の基礎となった価格によることが不適当であるか又は当該市町村を通じて固定資産税の課税上著しく均衡を失すると市町村長が認める場合には、当該土地又は家屋に対して課する第三年度の固定資産税の課税標準は、当該土地又は家屋に類似する土地又は家屋の基準年度の価格に比準する価格で土地課税台帳等又は家屋課税台帳等に登録されたものとする。

(3) 第三年度の土地又は家屋

第三年度において新たに固定資産税を課することとなる土地又は家屋に対して課する第三年度の固定資産税の課税標準は、当該土地又は家屋に類似する土地又は家屋の基準年度の価格に比準する価格で土地課税台帳等又は家屋課税台帳等に登録されたものとする。

(4) 修正基準の適用を受ける土地

当該市町村の区域内の自然的及び社会的条件からみて類似の利用価値を有すると認められる地域において地価が下落し、かつ、市町村長が基準年度の価格又は比準価格（以下「修正前の価格」という。）を当該地域に所在する土地に対して課する当該年度分の固定資産税の課税標準とすることが固定資産税の課税上著しく均衡を失すると認める場合における当該土地に対して課する第二年度分又は第三年度分の固定資産税の課税標準は、当該土地の修正前の価格を総務大臣が定める基準（以下「修正基準」という。）により修正した価格又は当該土地の類似土地の当該年度の修正前の価格を修正基準により修正した価格に比準する価格で土地課税台帳等に登録されたものとする。

３．住宅用地に対する特例（法349の３の２①②）　重要度◎

専用住宅又は一部居住用家屋（併用住宅）で居住部分の割合が４分の１以上である家屋の敷地の用に供されている土地で住宅用地に対して課する固定資産税の課税標準は、当該住宅用地に係る固定資産税の課税標準となるべき価格の３分の１の額とする。住宅用地のうち、小規模住宅用地に対して課する固定資産税の課税標準は、当該小規模住宅用地に係る固定資産税の課税標準となるべき価格の６分の１の額とする。

ただし、空家等対策の推進に関する特別措置法により所有者等に対し勧告がされた特定空家等の敷地の用に供されている土地は除く。

(1) 住宅用地

住宅用地とは、次に掲げる土地の区分に応じ、それぞれに定める土地とする。

① 別荘部分を有しない専用住宅の敷地の用に供されている土地については、当該土地（当該土地の面積が当該家屋の床面積の10倍の面積を超える場合には、当該10倍の面積に相当する土地とする。）

② 一部居住用家屋又は別荘部分を有する専用住宅の敷地の用に供されている土地については、次の表に掲げる家屋及び居住部分の割合の区分に応じ、それぞれの率を当該土地の面積（当該面積が当該家屋の床面積の10倍の面積を超える場合には、当該10倍の面積とする。）に乗じて得た面積に相当する土地

家　　屋	居住部分の割合	率
下　記　以　外	$\frac{1}{4}$ 以上　$\frac{1}{2}$ 未満	0.5
	$\frac{1}{2}$ 以上	1.0
地上階数５以上の耐火建築物	$\frac{1}{4}$ 以上　$\frac{1}{2}$ 未満	0.5
	$\frac{1}{2}$ 以上　$\frac{3}{4}$ 未満	0.75
	$\frac{3}{4}$ 以上	1.0

※　耐火建築物は、主要構造部を耐火構造とした建築物とし、地上階数は、当該建築物の階数から地階の階数を控除した階数とする。

(2) 小規模住宅用地

小規模住宅用地とは、次に掲げる区分に応じ、それぞれに定める住宅用地とする。

①　住宅用地でその面積が200㎡以下であるものについては、当該住宅用地

②　住宅用地でその面積が200㎡を超えるものについては、当該住宅用地の面積を住居（その全部が別荘の用に供される住居以外の住居）の数で除して得た面積が200㎡以下であるものにあっては当該住宅用地、当該除して得た面積が200㎡を超えるものにあっては200㎡に当該住居の数を乗じて得た面積に相当する住宅用地

４．家屋に対する特例　重要度△

課税標準の特例の適用を受ける家屋については、価格に特例率を乗じて得た額が課税標準となる。

５．賦課期日との関係（法359）　重要度△

固定資産税においては、賦課期日の現況により課税要件が確定することとされている。したがって、当該年度の賦課期日における価格が課税標準となる。

＊　固定資産税の賦課期日は、当該年度の初日の属する年の１月１日とする。

《参考》

(1) **基準年度等**（法341）

①　基準年度とは、昭和31年度及び昭和33年度並びに昭和33年度から起算して３年度又は３の倍数の年度を経過したごとの年度をいう。

②　第二年度とは、基準年度の翌年度をいう。

③　第三年度とは、第二年度の翌年度（昭和33年度を除く。）をいう。

(2) **被災住宅用地に対する特例**（法349の３の３）

被災住宅用地のうち、一定の要件を満たすものについて、被災住宅用地の所有者等に対して課する被災年度の翌年度分又は翌々年度分の固定資産税については、当該土地を住宅用地とみなして、地方税法の規定（住宅用地の所有者の申告の規定を除く。）を適用する。

(MEMO)

1－5　償却資産の課税標準　〔ランクC〕

1．概　要（法341）　重要度△

固定資産税の課税標準は、固定資産課税台帳に登録された固定資産の価格である。

＊　価格とは適正な時価をいう。

2．課税標準（法349の2）　重要度◎

償却資産に対して課する固定資産税の課税標準は、賦課期日における当該償却資産の価格で償却資産課税台帳に登録されたものとする。

3．船舶に対する特例（法349の3④～⑥）　重要度◎

(1)　外航船舶・準外航船舶

外航船舶又は準外航船舶に対して課する固定資産税の課税標準は、外航船舶にあっては当該価格の6分の1の額とし、準外航船舶にあっては当該価格の4分の1の額とする。

＊　外航船舶とは、主として遠洋区域を航行区域とする船舶で一定のものをいう。

＊　準外航船舶とは、外航船舶以外の船舶のうち主として遠洋区域を航行区域とする船舶で外航船舶に準ずる一定のものをいう。

(2)　内航船舶

①　内航船舶（専ら遊覧の用に供する船舶その他一定のものを除く。）に対して課する固定資産税の課税標準は、当該価格の2分の1の額とする。

②　内航船舶のうち、専ら離島航路事業の用に供するものに対して課する固定資産税の課税標準は、当該価格の2分の1の額に3分の1を乗じて得た額とする。

＊　内航船舶とは、外航船舶及び準外航船舶以外の船舶をいう。

４．航空機に対する特例（法349の３⑦⑧）

重要度◎

(1) 国際航空機

国際航空機に対して課する固定資産税の課税標準は、当該価格の５分の１の額（国際航空機のうち、国際路線専用機として総務省令で定めるものにあっては２分の１を、国際路線専用機に準ずるものとして総務省令で定めるものにあっては、３分の２を当該額に乗じて得た額）とする。

＊　国際航空機とは、国際路線に就航する航空機で航空法の規定により免許を受けた者が運航するもののうち総務省令で定めるものをいう。

(2) 離島路線就航航空機

主として離島路線に就航する航空機で一定のものに対して課する固定資産税の課税標準は、当該航空機に対して課する固定資産税が課されることとなった年度から３年度分の固定資産税については当該価格の３分の１の額とし、その後３年度分の固定資産税については当該価格の３分の２の額とする。ただし、当該航空機のうち、特に地域的な航空運送の用に供する小型の航空機に対して課する固定資産税の課税標準は、当該価格の４分の１の額とする。

５．大規模の償却資産に対する特例（法349の４①、349の５①、740）

重要度○

大規模の償却資産については、市町村は、課税定額までを課税標準として固定資産税を課する。また、市町村の課税定額を超える部分の金額については、当該市町村を包括する道府県の普通税として固定資産税を課する。

＊　大規模の償却資産とは、一の納税義務者が所有する償却資産で、その価額の合計額が市町村の人口段階に応じて法定されている金額を超えるものをいう。

６．賦課期日との関係（法359）

重要度△

固定資産税においては、賦課期日の現況により課税要件が確定することとされている。したがって、当該年度の賦課期日における価格が課税標準となる。

＊　固定資産税の賦課期日は、当該年度の初日の属する年の１月１日とする。

(MEMO)

テーマ2

租税債務の免除

2－1　非　課　税　〔ランクB〕

■概　要■

固定資産税の非課税の範囲については、その根拠を固定資産の所有者の性格に求めているものと、固定資産それ自体の用途及び性格に求めているものとに区別される。前者を人的非課税といい、後者を物的非課税という。

1．人的非課税（法348①）　重要度◎

市町村は、国並びに都道府県、市町村、特別区、これらの組合、財産区及び合併特例区に対しては固定資産税を課することができない。

2．物的非課税（法348②）　重要度◎

固定資産税は次に掲げる固定資産に対しては課することができない。

(1) 国並びに都道府県、市町村、特別区、これらの組合及び財産区が公用又は公共の用に供する固定資産
(2) 独立行政法人水資源機構等が直接その本来の事業の用に供する一定の固定資産
(3) 宗教法人が専らその本来の用に供する宗教法人法に規定する境内建物及び境内地
(4) 墓　地
(5) 公共の用に供する道路、運河用地及び水道用地
(6) 保安林に係る土地（一定のものを除く。）
(7) 文化財保護法の規定により、国宝、重要文化財等として指定された家屋又はその敷地
(8) その他一定のもの

3．物的非課税が課税される場合（法348②③）　重要度○

(1) 有料借受けの場合の課税

固定資産を有料で借り受けた者がこれを上記2．に掲げる非課税資産として使用する場合には、当該固定資産の所有者に固定資産税を課することができる。

(2) 目的外使用の場合の課税

市町村は、上記２．に掲げる非課税資産を当該目的以外の目的に使用する場合には、これらの固定資産に対し、固定資産税を課する。

４．健康保険組合等が所有しかつ使用する事務所等（法348④）

重要度◎

市町村は、健康保険組合等が所有しかつ使用する事務所及び倉庫（一定の事業に使用する部分を除く。）に対しては、固定資産税を課することができない。

５．納税義務者への通知（法348⑩）

重要度△

市町村長は、非課税の規定の適用を受けた固定資産で当該年度において新たに固定資産税を課することとなるものがある場合には、一般の固定資産の価格等の登録後遅滞なく、その旨を当該固定資産に対して課する固定資産税の納税義務者に通知するように努めなければならない。

《参考》

(1) 課税免除（法６①）

地方団体は公益上その他の事由により課税を不適当とする場合には、課税をしないことができる。

(2) 減　免（法367）

市町村長は、天災その他特別の事情がある場合において固定資産税の減免を必要とすると認める者、貧困により生活のため公私の扶助を受ける者その他特別の事情がある者に限り、当該市町村の条例の定めるところにより、固定資産税を減免することができる。

(3) 消滅時効（法18①、18の２①③）

① 地方税の徴収権は、法定納期限の翌日から起算して５年間行使しないことにより時効により消滅する。

② 偽りその他不正行為による場合には、上記①の期限は７年となる。

2−2　免　　税　　点　〔ランクＢ〕

1．趣　旨　重要度○

免税点の制度は、零細な課税客体を排除することで、税負担を軽減し、徴税の合理化を図るために設けられたものである。

2．内　容（法351）　重要度◎

市町村は、同一の者について当該市町村の区域内におけるその者の所有に係る土地、家屋又は償却資産に対して課する固定資産税の課税標準となるべき額が、土地にあっては30万円、家屋にあっては20万円、償却資産にあっては150万円に満たない場合には、固定資産税を課することができない。

ただし、財政上その他特別の必要がある場合には、当該市町村の条例の定めるところにより、その額がそれぞれ30万円、20万円又は150万円に満たないときであっても、固定資産税を課することができる。

3．判　定　重要度△

(1) 課税標準の特例の適用を受けるものについては、その特例適用後の額により免税点の判定を行う。

(2) 土地で負担調整措置の適用があるものについては、現実の課税標準となるべき額により免税点の判定を行う。

4．複数所有する場合の判定（法387①）　重要度○

(1) 土地又は家屋

同一の者が市町村内に複数の土地又は複数の家屋を所有している場合には、固定資産課税台帳に基づいて所有者ごとに作成された土地名寄帳又は家屋名寄帳に基づき、免税点の判定をすることとなる。

＊　市町村は、その市町村内の土地及び家屋について、固定資産課税台帳に基づいて、総務省令で定めるところにより、土地名寄帳及び家屋名寄帳を備えなければならない。

(2) 償却資産

同一の者が市町村内に複数の償却資産を所有している場合には、償却資産に係る申告書に基づいて所有者ごとに作成された償却資産課税台帳に基づき、免税点の判定をすることとなる。

５．都の特別区等の判定（法737①）

重要度△

都の特別区及び地方自治法に規定する指定都市の区の区域は、一の市の区域とみなし、これらの区の区域に所在する課税客体ごとに免税点の判定を行う。

６．共有等に係る固定資産の判定

重要度△

(1) 共有に係る固定資産については、それぞれの共有者が他に固定資産を所有している場合であっても、その資産とは別個に、共有されている固定資産を別の人格が所有しているものとして免税点の判定を行う。
(2) 区分所有家屋及び区分所有家屋の敷地については、区分所有者ごとでなく、全体の課税標準となるべき額で免税点の判定を行う。

(MEMO)

テーマ3

賦課及び徴収

3－1　納　期　〔ランクＢ〕

１．市町村（法20の５の２、362①②）　重要度◎

(1) 原　則

固定資産税の納期は、４月、７月、12月及び２月中において、当該市町村の条例で定める。ただし、特別の事情がある場合には、これと異なる納期を定めることができる。

(2) 例　外

① 固定資産税額（都市計画税をあわせて徴収する場合には、固定資産税額と都市計画税額との合算額とする。）が市町村の条例で定める金額以下であるものについては、当該市町村は、上記(1)により定められた納期のうちいずれか一の納期において、その全額を徴収することができる。

② 地方団体の長は、災害その他やむを得ない理由により、上記(1)の納期限までにその納付ができないと認められるときは、当該地方団体の条例の定めるところにより、納期限を延長することができる。

２．道府県（法745）　重要度○

大規模の償却資産について、道府県が課する固定資産税の納期については、上記１．の規定中「市町村」とあるのは「道府県」と、「市町村長」とあるのは「道府県知事」と読み替えて準用する（ただし、上記１．(2)①のカッコ書きの規定は除く。）。

《参考》

(1) 納期限後納付に係る延滞金（法369①②）

① 固定資産税の納税者は、納期限後にその税金を納付する場合には、当該税額に、その納期限の翌日から納付の日までの期間の日数に応じ、年14.6%（当該納期限の翌日から１月を経過する日までの期間については、年7.3%）の割合を乗じて計算した金額に相当する延滞金額を加算して納付しなければならない。

* 延滞金の割合は、上記にかかわらず各年の延滞金特例基準割合が年7.3%の割合に満たない場合には、その年中においては、次のとおりとする。

(イ) 年14.6%の割合にあっては、その年における延滞金特例基準割合に年7.3%の割合を加算した割合

(ロ) 年7.3%の割合にあっては、当該延滞金特例基準割合に年１%の割合を加算した割合（当該加算した割合が年7.3%の割合を超える場合には、年7.3%の割合）

② 市町村長は、納税者が納期限までに納付しなかったことについてやむを得ない事由があると認める場合には、延滞金額を減免することができる。

(2) 督　促（法371①②）

納税者が納期限までに固定資産税に係る地方団体の徴収金を完納しない場合には、市町村の徴税吏員は、納期限後20日以内に、督促状を発しなければならない。ただし、繰上徴収をする場合には、この限りでない。

特別の事情がある市町村においては、当該市町村の条例でこの期間と異なる期間を定めることができる。

(3) 滞納処分（法373①⑥）

① 固定資産税に係る滞納者が次の(イ)、(ロ)に該当するときは、市町村の徴税吏員は、当該固定資産税に係る地方団体の徴収金につき、滞納者の財産を差し押えなければならない。

(イ) 滞納者が督促を受け、その督促状を発した日から起算して10日を経過した日までにその督促に係る固定資産税に係る地方団体の徴収金を完納しないとき。

(ロ) 滞納者が繰上徴収に係る告知により指定された納期限までに固定資産税に係る地方団体の徴収金を完納しないとき。

② 仮徴収する固定資産税について滞納処分をする場合には、価格等の配分通知が行われる日までの間は、財産の換価は、することができない。

3−2　徴収の方法　〔ランクＢ〕

１．市町村（法１、364①〜⑨，364の２①〜④）　重要度◎

(1) 徴収の方法

①　普通徴収

固定資産税の徴収については、普通徴収の方法によらなければならない。

普通徴収とは、徴税吏員が納税通知書を当該納税者に交付することにより地方税を徴収することをいう。

②　納税通知書

(ｲ) 納税通知書とは、納税者が納付すべき地方税について、次の事項を記載した文書で、当該地方団体が作成するものをいう。

㋑　その賦課の根拠となった法律及び当該地方団体の条例の規定
㋺　納税者の住所及び氏名
㋩　課税標準額
㋥　税　率
㋭　税　額
㋬　納　期
㋣　各納期における納付額
㋠　納付の場所
㋷　滞納した場合において執られるべき措置
㋦　賦課に不服がある場合における救済の方法

(ﾛ) 納税通知書に記載すべき課税標準額は、土地、家屋及び償却資産の価額並びにこれらの合計額とする。

③　課税明細書

市町村は、土地又は家屋に対して課する固定資産税を徴収しようとする場合には、総務省令で定めるところにより、次の区分に応じ次に定める事項を記載した文書（「課税明細書」という。）を当該納税者に交付しなければならない。

(ｲ) 土　地

㋑　所在、地番、地目、地積
㋺　当該年度の固定資産税に係る価格
㋩　課税標準の特例の適用を受ける土地については、価格に特例率を乗じて得た額
㋥　前年度課税標準額又は比準課税標準額

㋭　負担調整措置の適用を受けるものにあっては、調整（据置）固定資産税額の算定の基礎となる課税標準となるべき額

㋬　軽減率の適用を受ける市街化区域農地（負担調整措置の適用を受けるものを除く。）については、軽減率適用後の課税標準となるべき額

㋣　減額の適用を受ける土地については減額する税額

(ロ) 家　屋

㋑　所在、家屋番号、種類、構造、床面積

㋺　当該年度の固定資産税に係る価格

㋩　課税標準の特例の適用を受ける家屋については、価格に特例率を乗じて得た額

㊁　減額の適用を受ける家屋については減額する税額

④　交付期限

納税通知書又は課税明細書は、遅くとも納期限前10日までに納税者に交付しなければならない。

(2) 仮徴収

①　趣　旨

納税通知書の交付期限までに当該年度分の価格等の配分が行われない固定資産について、第一期納期からの税収入の確保及び通常の固定資産との課税の公平を目的として仮徴収の制度が認められている。

②　内　容

(イ) 仮徴収の方法

市町村は、地方税法第389条第１項各号に掲げる固定資産（船舶を除く。）に対して課する固定資産税については、当該固定資産について申告すべき者が法定申告期限までに申告しなかったことその他やむを得ない理由があることにより納税通知書の交付期限までに当該固定資産に係る価格等の配分の通知が行われなかった場合には、当該通知が行われる日までの間に到来する納期において徴収すべき固定資産税に限り、当該固定資産に係る前年度の固定資産税の課税標準である価格を課税標準として仮に算定した額（以下「仮算定税額」という。）を当該年度の納期の数で除して得た額の範囲内において、当該固定資産に係る固定資産税をそれぞれの納期において徴収することができる。

ただし、当該徴収することができる額の総額は、仮算定税額の２分の１に相当する額を超えることができない。

(ロ) 本算定税額との清算

市町村は、上記(イ)により固定資産税を賦課した後において価格等の配分の通知が行われ、当該通知に基づいて算定した当該年度分の固定資産税額（以下「本算定税額」という。）に既に賦課した固定資産税額が満たない場合には、当該通知が行われた日以後の納期においてその不足額を徴収し、既に徴収した固定資産税額が本算定税額を超える場合には、その過納額を還付し、又は当該納税義務者の未納に係る地方団体の徴収金に充当しなければならない。

(ハ) 納税通知書

市町村は、仮徴収をする場合において納税者に交付する納税通知書は、仮徴収の適用を受ける固定資産以外の固定資産と区分して、遅くとも納期限前10日までに交付しなければならない。

この場合には、仮徴収に係る固定資産税とそれ以外の固定資産税については、それぞれ一の地方税とみなして端数処理の規定を適用する。

また、納税通知書には、総務省令で定めるところにより、次に掲げる事項その他必要な事項を記載しなければならない。

㋑　納税通知書に記載された仮徴収の適用を受ける固定資産の課税標準額及び税額は、それぞれ当該固定資産に係る前年度の固定資産税の課税標準である価格及びこれを課税標準として仮に算定した税額であること。

㋺　上記(ロ)の清算を行うものであること。

(ニ) 仮算定税額に係る修正の申出

㋑　修正の申出

仮徴収の適用を受ける固定資産に係る当該年度分の固定資産税額が仮算定税額の２分の１に相当する額に満たないこととなると認められる場合には、当該仮徴収をされることとなる者は、仮徴収に係る納税通知書の交付を受けた日から30日以内に、文書をもって市町村長に仮徴収される固定資産税額の修正を申し出ることができる。

㋺　修正の申出に対する決定

上記㋑の修正の申出に対する市町村長の決定は、その申出を受理した日から30日以内にしなければならない。

この場合において、当該申出について相当の理由があると認められるときは、市町村長は、当該固定資産に係る当該年度分の固定資産税額の見積額を基礎として、仮徴収する固定資産税額を修正しなければならない。

２．道府県（法745①）

重要度○

大規模の償却資産について、道府県が課する固定資産税の徴収の方法については、上記１．の規定中「市町村」とあるのは「道府県」と、「市町村長」とあるのは「道府県知事」と読み替えて準用する（ただし、上記１．(1)③の規定は除く。）。

《参考》税　率

(1) **市町村**（法１、350①）

① 標準税率

市町村が課する固定資産税の標準税率は、100分の1.4とする。

＊ 標準税率とは地方団体が課税する場合に通常よるべき税率でその財政上その他の必要があると認める場合には、これによることを要しない税率をいい、総務大臣が地方交付税の額を定める際に基準財政収入額の算定の基礎として用いる税率をいう。

② 意見聴取義務

市町村は、当該市町村の固定資産税の一の納税義務者であってその所有する固定資産に対して課すべき当該市町村の固定資産税の課税標準の総額が当該市町村の区域内に所在する固定資産に対して課すべき当該市町村の固定資産税の課税標準の総額の３分の２を超えるものがある場合において、固定資産税の税率を定め、又はこれを変更して100分の1.7を超える税率で固定資産税を課する旨の条例を制定しようとするときは、当該市町村の議会において、当該納税義務者の意見を聴くものとする。

(2) **道府県**（法741）

大規模の償却資産に対して道府県が課する固定資産税の標準税率は、100分の1.4とする。

(MEMO)

テーマ4

申　告・評　価

4−1　申　告　制　度　〔ランクA〕

1. 償却資産の申告（法383、394、745①）　重要度◎

(1) 趣　旨

償却資産については、土地及び家屋と異なり登記制度が存在しないため、課税客体等の把握を目的として申告義務が課されている。

(2) 内　容

① 一般の償却資産

固定資産税の納税義務がある償却資産の所有者（下記②又は③の固定資産の所有者を除く。）は、総務省令で定めるところにより、毎年１月１日現在における当該償却資産について、次の事項を１月31日までに当該償却資産の所在地の市町村長に申告しなければならない。

(イ) 所　在
(ロ) 種　類
(ハ) 数　量
(ニ) 取得時期
(ホ) 取得価額
(ヘ) 耐用年数
(ト) 見積価額
(チ) その他償却資産課税台帳の登録及び当該償却資産の価格の決定に必要な事項

② 総務大臣指定資産

地方税法第389条第１項各号に掲げる固定資産の所有者で固定資産税の納税義務がある者は、総務省令で定めるところにより、毎年１月１日現在における当該固定資産について、次の事項を１月31日までに道府県知事又は総務大臣に申告しなければならない。

(イ) 固定資産課税台帳に登録されるべき事項及びこれに記載（記録）をされている事項
(ロ) その他固定資産の評価に必要な事項

③ 大規模の償却資産

大規模の償却資産に係る申告については、上記①の規定中「市町村長」とあるのは「道府県知事」と読み替えて準用する。

＊　所有権留保付売買に係る償却資産については、社会の納税意識に合致するよう原則として買主が申告を行うこととされている。

２．納税管理人の申告（法355①）　重要度○

(1) 趣　旨

納税義務者が、納税義務を負う市町村内に住所、居所、事務所等を有しない場合において、徴税の確保を図ることを目的として申告義務が課されている。

(2) 内　容

固定資産税の納税義務者は、納税義務を負う市町村内に住所等を有しない場合には、納税に関する一切の事務を処理させるため、当該市町村の条例で定める地域内に住所等を有する者のうちから納税管理人を定めてこれを市町村長に申告し、又は当該地域外に住所等を有する者のうち当該事項の処理につき便宜を有するものを納税管理人として定めることについて市町村長に申請してその承認を受けなければならない。

３．住宅用地の申告（法384①②）　重要度○

(1) 趣　旨

住宅用地に対する課税標準の特例の適用に際し、住宅用地に該当するか否かの認定を目的として申告義務を課することができることとされている。

(2) 内　容

①　市町村長は、住宅用地の所有者に、当該市町村の条例の定めるところにより、当該年度に係る賦課期日現在における当該住宅用地について、次の事項を申告させることができる。

ただし、当該年度の前年度に係る賦課期日における当該住宅用地の所有者が引き続き当該住宅用地を所有し、かつ、その申告すべき事項に異動がない場合は、この限りでない。

(イ) その所在及び面積

(ロ) その上に存する家屋の床面積及び用途

(ハ) その上に存する住居の数

(ニ) その他固定資産税の賦課徴収に関し必要な事項

②　市町村長は、当該年度に係る賦課期日において住宅用地から住宅用地以外の土地への変更があり、かつ当該土地の所有者が当該年度の前年度に係る賦課期日から引き続き、当該土地を所有している場合には当該土地の所有者に、当該市町村の条例の定めるところにより、その旨を申告させることができる。

４．現所有者の申告（法384の３）　重要度○

⑴ 趣　旨

登記簿又は補充課税台帳上の所有者が死亡した場合において、新たな納税義務者の適正かつ確実な把握を目的として申告義務を課することができることとされている。

⑵ 内　容

市町村長は、その市町村内の土地又は家屋について、登記簿又は土地補充課税台帳若しくは家屋補充課税台帳に所有者として登記又は登録がされている個人が死亡している場合における当該土地又は家屋を所有している者（以下「現所有者」という。）に、当該市町村の条例で定めるところにより、現所有者であることを知った日の翌日から３月を経過した日以後の日までに、次の事項を申告させることができる。

① 当該現所有者の住所及び氏名又は名称

② その他固定資産税の賦課徴収に関し必要な事項

《参考》

⑴ 申告期限の延長（法20の５の２）

地方団体の長は、災害その他やむを得ない理由により、申告期限までに申告をすることができないと認めるときは、当該地方団体の条例の定めるところにより、申告期限を延長することができる。

⑵ 不申告等による不足税額の追徴及び延滞金（法368①～③）

① 市町村長は、市町村長、道府県知事又は総務大臣に申告をする義務がある者がそのすべき申告をしなかったこと又は虚偽の申告をしたことにより、通常の固定資産より時期を遅れて価格を決定し又は修正した場合に不足税額があることを発見した場合には、直ちにその不足税額のうちその決定があった日までの納期に係る分（以下「不足税額」という。）を追徴しなければならない。

この場合には、市町村の徴税吏員は、不足税額をその決定があった日までの納期の数で除して得た額に、本来の納期限の翌日から納付の日までの期間の日数に応じ年14.6％（当該不足税額に係る納税通知書において納付すべきこととされる日までの期間又はその日の翌日から１月を経過する日までの期間については年7.3％）の割合を乗じて計算した金額に相当する延滞金額を加算して徴収しなければならない。

＊　延滞金の割合は、上記にかかわらず各年の延滞金特例基準割合が年7.3％の割合に満たない場合には、その年中においては、次のとおりとする。

(ｲ) 年14.6％の割合にあっては、その年における延滞金特例基準割合に年7.3％の割合を加算した割合

(ﾛ) 年7.3％の割合にあっては、当該延滞金特例基準割合に年１％の割合を加算した割合（当該加算した割合が年7.3％の割合を超える場合には、年7.3％の割合）

②　市町村長は、納税者が不足税額を追徴されたことについてやむを得ない事由があると認める場合には、延滞金額を減免することができる。

(3) 虚偽の申告に係る罪及び不申告に係る過料

①　一般の償却資産、住宅用地又は現所有者

(ｲ) 虚偽の申告（法385）

一般の償却資産、住宅用地の所有者又は現所有者の申告の規定により申告すべき事項について虚偽の申告をしたときは、その違反行為をした者は、１年以下の懲役又は50万円以下の罰金に処する。

(ﾛ) 不申告（法386）

市町村は、一般の償却資産、住宅用地の所有者又は現所有者の申告の規定により申告すべき事項について正当な事由がなくて申告をしなかった場合には、その者に対し、当該市町村の条例で10万円以下の過料を科する旨の規定を設けることができる。

② 総務大臣指定資産（法395①）

地方税法第389条第１項各号に掲げる固定資産の申告の規定により申告すべき事項について申告をせず、又は虚偽の申告をしたときは、その違反行為をした者は、１年以下の懲役又は50万円以下の罰金に処する。

③ 大規模の償却資産（法745）

大規模の償却資産に係る申告については、上記①の規定中「市町村」とあるのは「道府県」と読み替えて準用する。

④ 納税管理人

(ｲ) 虚偽の申告（法356①）

納税管理人について虚偽の申告等をしたときは、その違反行為をした者は、30万円以下の罰金に処する。

(ロ) 不申告（法357）

市町村は、固定資産税の納税義務者で納税管理人について承認を受けていないものが申告すべき納税管理人について正当な事由がなくて申告をしなかった場合には、その者に対し、当該市町村の条例で10万円以下の過料を科する旨の規定を設けることができる。

(4) 被災住宅用地の申告（法384の２）

① 趣　旨

被災住宅用地に対する課税標準の特例の適用に際し、被災住宅用地に該当するか否かの認定を目的として申告義務を課することができることとされている。

② 内　容

市町村長は、被災住宅用地の所有者等が被災住宅用地に対する課税標準の特例の適用を受けようとする場合等には、その者に、当該市町村の条例の定めるところにより、その旨を申告させることができる。

(MEMO)

4−2　固定資産評価員　〔ランクB〕

1．設　置（法404①）　重要度◎

市町村長の指揮を受けて固定資産を適正に評価し、かつ、市町村長が行う価格の決定を補助するため、市町村に、固定資産評価員を設置する。

2．選　任（法404②〜④）　重要度◎

(1) 固定資産評価員は、固定資産の評価に関する知識及び経験を有する者のうちから、市町村長が、当該市町村の議会の同意を得て、選任する。

(2) 二以上の市町村の長は、当該市町村の議会の同意を得て、その協議により協同して同一の者を当該各市町村の固定資産評価員に選任することができる。この場合の選任については上記(1)の議会の同意を要しないものとする。

(3) 市町村は固定資産税を課される固定資産が少ない場合には、固定資産評価員を設置しないで、固定資産評価員の職務を市町村長に行わせることができる。

3．固定資産評価補助員の設置（法405）　重要度○

市町村長は、必要があると認める場合には、固定資産の評価に関する知識及び経験を有する者のうちから、固定資産評価補助員を選任して、これに固定資産評価員の職務を補助させることができる。

4．兼職禁止（法406①②）　重要度◎

(1) 固定資産評価員は、次に掲げる職を兼ねることができない。

① 国会議員及び地方団体の議会の議員

② 農業委員会の農地部会の委員（農地部会を置かない農業委員会にあっては委員）

③ 固定資産評価審査委員会の委員

(2) 固定資産評価員は、当該市町村に対して請負をし、又は当該市町村において経費を負担する事業について当該市町村の長若しくは、当該市町村の長の委任を受けた者に対して請負をする者及びその支配人又は主として同一の行為をする法人の取締役等であることができない。

5．欠格事項（法407）

重要度◎

次の(1)～(4)のいずれかに該当する者は、固定資産評価員であることができない。

(1) 成年被後見人若しくは被保佐人又は破産者で復権を得ない者
(2) 固定資産評価員の職務に関して罪を犯し刑に処せられた者
(3) 上記(2)の者を除くほか、禁錮以上の刑に処せられた者であってその執行を終わってから、又は執行を受けることがなくなってから、2年を経過しない者
(4) 国家公務員又は地方公共団体の職員で、懲戒免職の処分を受け、当該処分の日から2年を経過しない者

6．職　務（法408、409①～④）

重要度◎

(1) 実地調査

市町村長は、固定資産評価員又は固定資産評価補助員に当該市町村所在の固定資産の状況を毎年少なくとも一回実地に調査させなければならない。

(2) 土地又は家屋の評価

固定資産評価員は、実地調査の結果に基づいて当該市町村に所在する土地又は家屋の評価をする場合には、土地又は家屋の区分に応じ、それぞれの年度において、当該土地又は家屋の基準年度の価格若しくは比準価格又は修正価格により当該土地又は家屋の評価をしなければならない。

なお、固定資産評価員は、上記により土地又は家屋の評価をする場合において、道府県知事が不動産取得税の規定により当該土地又は家屋の所在地の市町村長に通知した価格があるときは、当該土地又は家屋について地目の変換、改築、損壊その他特別の事情があるため当該通知に係る価格により難い場合を除くほか、当該通知に係る価格に基づいて、当該土地又は家屋の評価をしなければならない。

(3) 償却資産の評価

固定資産評価員は、実地調査の結果に基づいて当該市町村に所在する償却資産の評価をする場合には、当該償却資産に係る賦課期日における価格により、当該償却資産の評価をしなければならない。

(4) 評価調書の提出

固定資産評価員は、上記(2)及び(3)による評価をした場合には、総務省令で定めるところにより、遅滞なく、評価調書を作成し、これを市町村長に提出しなければならない。

4−3　一般の固定資産の評価等　〔ランクＡ〕

1．評　価（法404①、408、409①〜④）　重要度◎

(1)　実地調査

市町村長は、固定資産評価員又は固定資産評価補助員に当該市町村所在の固定資産の状況を毎年少なくとも一回実地に調査させなければならない。

(2)　土地又は家屋の評価

①　原　則

固定資産評価員は、実地調査の結果に基づいて当該市町村に所在する土地又は家屋の評価をする場合には、次に掲げる土地又は家屋の区分に応じ、それぞれに掲げる年度において、それぞれに掲げる価格により当該土地又は家屋の評価をしなければならない。

<table>
<tr><th>土地又は家屋の区分</th><th>年　度</th><th>価　　　　格</th></tr>
<tr><td>基準年度の土地又は家屋</td><td>基準年度</td><td>基準年度の賦課期日における価格</td></tr>
<tr><td>基準年度の土地又は家屋で第二年度の賦課期日において地目の変換等の規定の適用を受けることとなるもの</td><td>第二年度</td><td rowspan="5">類似する土地又は家屋の基準年度の価格に比準する価格</td></tr>
<tr><td>基準年度の土地又は家屋で第三年度の賦課期日において地目の変換等の規定の適用を受けることとなるもの</td><td>第三年度</td></tr>
<tr><td>第二年度の土地又は家屋</td><td>第二年度</td></tr>
<tr><td>第二年度の土地又は家屋で第三年度の賦課期日において地目の変換等の規定の適用を受けることとなるもの</td><td>第三年度</td></tr>
<tr><td>第三年度の土地又は家屋</td><td>第三年度</td></tr>
</table>

② 修正基準の適用を受ける土地

当該市町村の区域内の自然的及び社会的条件からみて類似の利用価値を有すると認められる地域において地価が下落し、かつ、市町村長が基準年度の価格又は比準価格（以下「修正前の価格」という。）を当該地域に所在する土地に対して課する当該年度分の固定資産税の課税標準とすることが固定資産税の課税上著しく均衡を失すると認める場合における当該土地に対して課する第二年度分又は第三年度分の固定資産税については、当該土地の修正前の価格を総務大臣が定める基準（以下「修正基準」という。）により修正した価格又は当該土地の類似土地の当該年度の修正前の価格を修正基準により修正した価格に比準する価格により当該土地の評価をしなければならない。

③ 通知価格がある場合

固定資産評価員は、上記①、②により土地又は家屋の評価をする場合において、道府県知事が不動産取得税の規定により当該土地又は家屋の所在地の市町村長に通知した価格があるときは、当該土地又は家屋について地目の変換、改築、損壊その他特別の事情があるため当該通知に係る価格により難い場合を除くほか、当該通知に係る価格に基づいて、当該土地又は家屋の評価をしなければならない。

(3) 償却資産の評価

固定資産評価員は、実地調査の結果に基づいて当該市町村に所在する償却資産の評価をする場合には当該償却資産に係る賦課期日における価格により、当該償却資産の評価をしなければならない。

(4) 評価調書の提出

固定資産評価員は、上記(2)及び(3)による評価をした場合には、総務省令で定めるところにより、遅滞なく、評価調書を作成し、これを市町村長に提出しなければならない。

2. 価格等の決定等（法403①、410①②）　重要度◎

(1) 価格等の決定

市町村長は、固定資産評価員から評価調書を受理した場合には、これに基づいて固定資産の価格等を毎年3月31日までに決定しなければならない。ただし、災害その他特別の事情がある場合には、4月1日以後に決定することができる。

この場合、市町村長は固定資産評価基準及び修正基準により、固定資産の価格の決定をしなければならない。

＊　価格等とは、固定資産の価格及び課税標準の特例の適用を受ける固定資産については、価格に特例率を乗じて得た額をいう。

(2) 宅地の標準的な価格の閲覧

市町村長は、上記(1)により固定資産の価格等を決定した場合には、遅滞なく、総務省令で定めるところにより、地域ごとの宅地の標準的な価格を記載した書面を一般の閲覧に供しなければならない。

３．価格等の登録（法411①～③）

重要度○

(1) 登　録

市町村長は、上記２．(1)により固定資産の価格等を決定した場合には、直ちに当該固定資産の価格等を固定資産課税台帳に登録しなければならない。

＊　土地又は家屋について、基準年度の価格若しくは比準価格又は修正価格が据置かれるものについては、新たに登録する必要はなく、すでに登録されている価格をもって、その年度において登録された価格とみなす。

(2) 公　示

市町村長は、上記(1)により固定資産課税台帳に登録すべき固定資産の価格等のすべてを登録した場合には、直ちに、その旨を公示しなければならない。

《参考》価格の登記所への通知（法422の３）

市町村長は、土地及び家屋の基準年度の価格、比準価格又は修正価格を決定し、又は修正した場合には、その価格その他一定の事項を、遅滞なく、当該決定又は修正に係る土地又は家屋の所在地を管轄する登記所に通知しなければならない。

(MEMO)

4−4　総務大臣指定資産の評価等　〔ランクＡ〕

１．評価、価格等の決定及び配分等（法389①⑤⑥、393）　重要度◎

(1) 評価、価格等の決定及び配分

道府県知事（関係市町村が二以上の道府県に係るときは、総務大臣。）は、次に掲げる固定資産について固定資産評価基準により、市町村の評価の例により評価を行った後、総務省令で定めるところにより、当該固定資産が所在するものとされる市町村及びその価格等を決定し、決定した価格等を当該市町村に配分し、毎年３月31日までに当該市町村の長に通知しなければならない。ただし、災害その他特別の事情がある場合には、４月１日以後に通知することができる。

＊① 総務省令で定める船舶、車両その他の移動性償却資産又は可動性償却資産で二以上の市町村にわたって使用されるもののうち総務大臣が指定するもの

② 鉄道、軌道、発電、送電、配電若しくは電気通信の用に供する固定資産又は二以上の市町村にわたって所在する固定資産で、その全体を一の固定資産として評価しなければ適正な評価ができないと認められるもののうち総務大臣が指定するもの

＊ 価格等とは、固定資産の価格及び課税標準の特例の適用を受ける固定資産については、価格に特例率を乗じて得た額をいう。

(2) 所有者への通知

道府県知事又は総務大臣は、上記(1)により、固定資産の価格等を決定した場合には、遅滞なく、当該価格等を当該固定資産の所有者に通知しなければならない。

(3) 配分調整

道府県知事又は総務大臣は、市町村における一般の固定資産の評価が固定資産評価基準及び修正基準により行われていないと認める場合には、上記(1)により当該市町村に配分される当該固定資産の価格等について必要な調整を加えることができる。

(4) 意見聴取

総務大臣は、次に掲げる場合には、地方財政審議会の意見を聴かなければならない。

① 指定をしようとするとき。
② 価格等の決定及び配分をしようとするとき。
③ 価格等の配分の調整の申出を受けたとき。
④ 価格等の配分の調整をしようとするとき。

２．価格等の登録（法389②～④）

重要度○

(1) 登　録

市町村長は、上記１．(1)による通知を受けた場合には、遅滞なく、当該市町村に配分された固定資産の価格等を固定資産課税台帳に登録しなければならない。

＊ この登録をする場合において、当該価格等の配分を受けた一号資産が、配分の通知のあった日前に登録されていなかったときは、市町村長は、新たに所定の登録事項を登録しなければならない。

(2) 配分調整の申出

市町村長は、上記１．(1)により道府県知事又は総務大臣がした価格等の配分が当該市町村に著しく不利益であると認める場合には、道府県知事又は総務大臣に対して、事由を具してその配分の調整を申し出ることができる。

4－5　大規模の償却資産の評価等　〔ランクＢ〕

１．評価及び価格等の決定（法743①）　重要度◎

道府県知事は、指定した大規模の償却資産については、その指定した日の属する年の翌年以降、毎年１月１日現在における時価による評価を行った後、その価格等を決定し、決定した価格等及び道府県が課する固定資産税の課税標準となるべき金額を毎年３月31日までに納税義務者及び当該償却資産の所在地の市町村長に通知しなければならない。ただし、災害その他特別の事情がある場合には、４月１日以後に通知することができる。

この場合、道府県知事は固定資産評価基準により、固定資産の価格の決定をしなければならない。

＊　大規模の償却資産とは、一の納税義務者が所有する償却資産で、その価額の合計額が市町村の人口段階に応じて法定されている金額を超えるものをいう。

＊　価格等とは、固定資産の価格及び課税標準の特例の適用を受ける固定資産については、価格に特例率を乗じて得た額をいう。

２．価格等の登録（法400の２①）　重要度○

市町村長は、上記１．の通知を受けた場合には、遅滞なく、当該通知に係る償却資産の価格等及び市町村が課する固定資産税の課税標準となるべき金額を固定資産課税台帳に登録しなければならない。

《参考》指　定（法742①～③）

(1) 指　定

道府県知事は、道府県が固定資産税を課すべきものと認められる償却資産については、当該償却資産が地方税法第389条第１項各号に掲げる固定資産である場合を除き、これを指定し、遅滞なく、その旨を当該償却資産の所有者及び当該償却資産の所在地の市町村長に通知しなければならない。

(2) 道府県知事への通知

市町村長は、上記(1)の指定による通知に係るもの以外になお、道府県が固定資産税を課すべき償却資産があると認める場合には、遅滞なく、その旨を道府県知事に通知しなければならない。

(3) 追加指定

道府県知事は、上記(2)による市町村長の通知に基づいて、上記(1)の指定に追加して道府県が固定資産税を課すべきものと認められる償却資産を指定することができる。この場合には、道府県知事は、遅滞なく、その旨を当該償却資産の所有者及び当該償却資産の所在地の市町村長に通知しなければならない。

(MEMO)

テーマ5

情報開示

5－1　固定資産課税台帳　〔ランクＢ〕

１．備付け（法341、380①②）　重要度△

(1) 市町村は、固定資産の状況及び固定資産税の課税標準である固定資産の価格を明らかにするため、固定資産課税台帳を備えなければならない。

市町村は総務省令で定めるところにより、固定資産課税台帳の備付けを電磁的記録の備付けをもって行うことができる。

(2) 固定資産課税台帳とは、土地課税台帳、土地補充課税台帳、家屋課税台帳、家屋補充課税台帳及び償却資産課税台帳を総称したものである。

２．意義、登録事項（法341、381①～⑥）　重要度◎

(1) 土地課税台帳

土地課税台帳とは、登記簿に登記されている土地について、次の事項を登録した帳簿をいう。

① 不動産登記法に掲げる登記事項

② 所有権、質権及び百年より長い存続期間の定めのある地上権の登記名義人の住所及び氏名又は名称

③ 地方税法の規定により、現に所有している者及び所有者とみなされる使用者の住所及び氏名又は名称

④ 基準年度の価格若しくは比準価格又は修正価格

⑤ 課税標準の特例の適用を受ける土地については、価格に特例率を乗じて得た額

⑥ 負担調整措置の適用を受けるものにあっては、調整（据置）固定資産税額の算定の基礎となる課税標準となるべき額

⑦ 新たに固定資産税を課されることとなる場合又は地目の変換等がある場合には、比準課税標準額

⑧ 軽減率の適用を受ける市街化区域農地（負担調整措置の適用を受けるものを除く。）については、軽減率適用後の課税標準となるべき額

⑨ 第二年度分又は第三年度分の固定資産税に限り、修正基準の適用を受けるものについてはその旨

(2) 土地補充課税台帳

土地補充課税台帳とは、登記簿に登記されていない土地で固定資産税を課することができるものについて、次の事項を登録した帳簿をいう。

① 所在、地番、地目、地積
② 所有者の住所及び氏名又は名称
③ 上記(1)③〜⑨の事項

(3) 家屋課税台帳

家屋課税台帳とは、登記簿に登記されている家屋について、次の事項を登録した帳簿をいう。

① 不動産登記法に掲げる登記事項
② 所有権の登記名義人の住所及び氏名又は名称
③ 地方税法の規定により、現に所有している者及び所有者とみなされる使用者の住所及び氏名又は名称
④ 基準年度の価格又は比準価格
⑤ 課税標準の特例の適用を受ける家屋については、価格に特例率を乗じて得た額

(4) 家屋補充課税台帳

家屋補充課税台帳とは、登記簿に登記されている家屋以外の家屋で固定資産税を課することができるものについて、次の事項を登録した帳簿をいう。

① 所在、家屋番号、種類、構造及び床面積
② 所有者の住所及び氏名又は名称
③ 上記(3)③〜⑤の事項

(5) 償却資産課税台帳

償却資産課税台帳とは、償却資産について、次の事項を登録した帳簿をいう。

① 所在、種類及び数量
② 所有者の住所及び氏名又は名称
③ 地方税法の規定により、所有者とみなされる使用者の住所及び氏名又は名称
④ 価　格
⑤ 課税標準の特例の適用を受ける償却資産については、価格に特例率を乗じて得た額
⑥ 大規模の償却資産については、市町村が固定資産税の課税標準とすべき金額

３．みなす土地補充課税台帳（法381⑧）

重要度○

土地区画整理事業又は土地改良事業の施行に係る土地について、所有者とみなされる者に対して固定資産税を課する場合には、次の事項を別紙に登録して、これを仮換地等若しくは換地に対応する従前の土地又は仮使用地若しくは保留地が登録されている土地課税台帳又は土地補充課税台帳に添付しなければならない。なお、この添付した別紙は土地補充課税台帳とみなされる。

(1) 所在、地目、地積

(2) 所有者とみなされる者の住所、氏名又は名称

(3) 上記２．(1)④～⑨の事項

《参考》

(1) 台帳課税主義

固定資産税は、賦課期日に所在する固定資産に対し、その固定資産の価格を課税標準として、その固定資産の所有者に課するものであるが、納税義務者である固定資産の所有者も、課税標準である固定資産の価格も、固定資産課税台帳に登録されたところに基づくものとされている。このように固定資産課税台帳に登録されたところに基づいて課税することを台帳課税主義という。

(2) 登記事項の修正の申出（法381⑦）

市町村長は、登記簿に登記されるべき土地又は家屋が登記されていないため、又は地目その他登記されている事項が事実と相違するため課税上支障があると認める場合には、当該土地又は家屋の所在地を管轄する登記所にそのすべき登記又は登記されている事項の修正その他の措置をとるべきことを申し出ることができる。

この場合において、当該登記所は、その申出を相当と認めるときは、遅滞なく、その申出に係る登記又は登記されている事項の修正その他の措置をとり、その申出を相当でないと認めるときは、遅滞なく、その旨を市町村長に通知しなければならない。

(3) 登記所からの通知（法382）

① 登記所は、土地又は建物の表示に関する登記をしたときは、10日以内に、その旨その他一定の事項を当該土地又は家屋の所在地の市町村長に通知しなければならない。

② ①の規定は、次に掲げる場合に準用する。

(ｲ) 所有権、質権若しくは百年より長い存続期間の定めのある地上権の登記又はこれらの登記の抹消、変更の登記等をした場合

(ﾛ) 登記簿の表題部に記録した所有者又は所有権、質権若しくは百年より長い存続期間の定めのある地上権の登記名義人等から住所に代わる一定の事項の記載をする旨の申出を受けた場合

(ﾊ) 上記(ｲ)、(ﾛ)に掲げるほか、総務省令で定める場合

③ 市町村長は、上記①、②の規定による登記所からの通知を受けた場合には、遅滞なく、当該土地又は家屋についての異動を土地課税台帳又は家屋課税台帳に記載（記録）をし、又はこれに記載（記録）をされた事項を訂正しなければならない。

5－2　固定資産課税台帳等の閲覧と証明書の交付〔ランクＡ〕

1．固定資産課税台帳等の閲覧（法382の２①、387①③）　重要度◎

(1) 趣　旨

固定資産税の納税義務者が、自己の所有する固定資産について課税内容を確認することができるようにするとともに、借地人・借家人等に対しても使用又は収益の対象となる固定資産についての課税内容を明らかにするために、固定資産課税台帳等の閲覧制度が設けられている。

(2) 内　容

① 固定資産課税台帳の閲覧

(イ) 備付け

市町村は、固定資産の状況及び固定資産税の課税標準である固定資産の価格を明らかにするため、固定資産課税台帳を備えなければならない。

(ロ) 閲　覧

市町村長は、納税義務者等の求めに応じ、固定資産課税台帳のうちこれらの者に係る固定資産に関する事項が記載をされている部分又はその写しをこれらの者の閲覧に供しなければならない。

閲覧を求めることができる者	対象固定資産
固定資産税の納税義務者	当該納税義務に係る固定資産
土地について賃借権その他の使用又は収益を目的とする権利（対価が支払われるものに限る。）を有する者	当該権利の目的である土地
家屋について賃借権その他の使用又は収益を目的とする権利（対価が支払われるものに限る。）を有する者	当該権利の目的である家屋及びその敷地である土地
固定資産の処分をする権利を有する一定の者	当該権利の目的である固定資産

② 名寄帳による閲覧

(イ) 備付け

市町村は、その市町村内の土地及び家屋について、固定資産課税台帳に基づいて、総務省令で定めるところにより、土地名寄帳及び家屋名寄帳を備えなければならない。

(ロ) 閲　覧

市町村長は、納税義務者から固定資産課税台帳の閲覧の求めがあったときは、土地名寄帳又は家屋名寄帳に固定資産課税台帳の登録事項と同一の事項が記載をされている場合に限り、当該納税義務者の閲覧に供するものとされる固定資産課税台帳又はその写しに代えて土地名寄帳若しくは家屋名寄帳又はそれらの写しを当該納税義務者の閲覧に供することができる。

２．証明書の交付（法20の10、382の３）　重要度○

(1) 趣　旨

固定資産課税台帳の閲覧対象者が固定資産課税台帳の記載事項の証明を求めることができるようにするとともに、一定の訴訟当事者等が固定資産の価格について証明を求めることができるようにするために、証明書の交付制度が設けられている。

(2) 内　容

① 納税証明書の交付

地方団体の長は、地方団体の徴収金と競合する債権に係る担保権の設定その他の目的で、地方団体の徴収金の納付又は納入すべき金額その他の地方団体の徴収金に関する事項（地方税法の規定により地方団体の徴収金に関して地方団体が備えなければならない帳簿に登録された事項を含む。）のうち次に定めるものについての証明書の交付を請求する者があるときは、その者に関するものに限り、これを交付しなければならない。

(イ) 固定資産課税台帳に登録された事項

(ロ) その他一定の事項

② 証明書の交付

市町村長は、納税証明書の交付の規定によるもののほか、一定の者の請求があったときは、これらの者に係る一定の固定資産に関して固定資産課税台帳に記載をされている事項のうち一定のものについての証明書を交付しなければならない。

テーマ５　情報開示

証明書の交付を求めることができる者	対象固定資産	証明事項
土地について賃借権その他の使用又は収益を目的とする権利（対価が支払われるものに限る。）を有する者	当該権利の目的である土地	すべての登録事項
家屋について賃借権その他の使用又は収益を目的とする権利（対価が支払われるものに限る。）を有する者	当該権利の目的である家屋及びその敷地である土地	すべての登録事項
固定資産の処分をする権利を有する一定の者	当該権利の目的である固定資産	すべての登録事項
民事訴訟費用等に関する法律の規定による申立てをしようとする者	当該申立ての目的である固定資産	課税標準額の計算に関する事項を除く登録事項

《参考》

(1) 固定資産課税台帳の閲覧及び証明書の交付の特例

（法382の２①、382の３、382の４）

① 固定資産課税台帳又は証明書に記載をされている住所が明らかにされることにより人の生命又は身体に危害を及ぼすおそれがあると認められる場合その他固定資産課税台帳を閲覧に供すること又は証明書を交付することが適当でないと認められる場合には、次に掲げる措置のいずれかを講じたものを閲覧に供し又は交付することができる。

(ｲ) 住所の削除

(ﾛ) 住所に代わるものとして市町村長が適当と認める事項の記載

(ﾊ) (ｲ)、(ﾛ)のほか、市町村長が適当と認める措置

② 固定資産課税台帳に記載をされている住所が、登記簿の表題部に記録した所有者又は所有権、質権若しくは百年より長い存続期間の定めの地上権の登記名義人等から住所に代わる一定の事項の記載をする旨の申出を受けた住所であるときは、総務省令で定めるところにより、住所に代わる一定の事項を記載したものを閲覧に供し又は交付しなければならない。

(2) 電磁的記録による場合（法380②、382の２①、387②③）

① 市町村は、総務省令で定めるところにより、固定資産課税台帳又は名寄帳の備付けを電磁的記録の備付けをもって行うことができる。

② 上記①の場合、固定資産課税台帳又は名寄帳に記録をされている事項を記載した書類を閲覧に供する。

(3) 映像面表示（法382の２②、387④）

市町村長は、固定資産課税台帳又は名寄帳を閲覧に供する場合には、固定資産課税台帳又は名寄帳に記載（記録）をされている事項を映像面に表示して閲覧に供することができる。

5−3　価格等縦覧帳簿の縦覧　〔ランクＡ〕

１．趣　旨（法416①）　重要度◎

固定資産税の納税者が、その納付すべき当該年度の固定資産税に係る土地又は家屋について土地課税台帳等又は家屋課税台帳等に登録された価格と当該土地又は家屋が所在する市町村内の他の土地又は家屋の価格とを比較することができるようにするために、価格等縦覧帳簿の縦覧制度が設けられている。

２．原則的な縦覧（法415①、416①③）　重要度◎

(1) 作　成

市町村長は、総務省令で定めるところにより、土地価格等縦覧帳簿及び家屋価格等縦覧帳簿を、毎年３月31日までに作成しなければならない。ただし、災害その他特別の事情がある場合には、４月１日以後に作成することができる。

①　土地価格等縦覧帳簿

土地価格等縦覧帳簿とは、土地課税台帳若しくは土地補充課税台帳に登録された土地（地方税法の規定により固定資産税を課することができるものに限る。）について、次の事項を記載した帳簿をいう。

(ｲ) 所在、地番、地目、地積

(ﾛ) 当該年度の固定資産税に係る価格

②　家屋価格等縦覧帳簿

家屋価格等縦覧帳簿とは、家屋課税台帳若しくは家屋補充課税台帳に登録された家屋（地方税法の規定により固定資産税を課することができるものに限る。）について、次の事項を記載した帳簿をいう。

(ｲ) 所在、家屋番号、種類、構造、床面積

(ﾛ) 当該年度の固定資産税に係る価格

(2) 縦　覧

①　市町村長は、毎年４月１日から４月20日又は当該年度の最初の納期限の日のいずれか遅い日以後の日までの間、その指定する場所において、土地価格等縦覧帳簿若しくは家屋価格等縦覧帳簿又はそれらの写しを当該市町村内に所在する土地又は家屋に対して課する固定資産税の納税者の縦覧に供しなければならない。

② 災害その他特別の事情がある場合には、4月2日以後の日から、当該日から20日を経過した日又は当該年度の最初の納期限の日のいずれか遅い日以後の日までの間を縦覧期間とすることができる。

(3) 公　示

市町村長は、上記(2)の縦覧の場所及び期間を、あらかじめ、公示しなければならない。

3．修正勧告により価格等を修正した場合の縦覧（法419④⑥⑧）

重要度○

(1) 作　成

市町村長は、道府県知事の勧告により土地又は家屋の価格等を修正して登録した場合には、直ちに、土地価格等縦覧帳簿又は家屋価格等縦覧帳簿を作成しなければならない。

(2) 縦　覧

市町村長は、上記(1)に基づいて土地価格等縦覧帳簿又は家屋価格等縦覧帳簿を作成した場合には、その作成の日から20日以上の期間、その指定する場所において、土地価格等縦覧帳簿若しくは家屋価格等縦覧帳簿又はそれらの写しを当該市町村内に所在する土地又は家屋に対して課する固定資産税の納税者の縦覧に供しなければならない。

(3) 公　示

市町村長は、上記(2)の縦覧の場所及び期間を、あらかじめ、公示しなければならない。

《参考》

(1) **電磁的記録による場合**（法415②、416①、419⑤⑥）

① 市町村は、総務省令で定めるところにより、価格等縦覧帳簿の作成を電磁的記録の作成をもって行うことができる。

② 上記①の場合、価格等縦覧帳簿に記録をされている事項を記載した書類を縦覧に供する。

(2) **映像面表示**（法416②、419⑦）

市町村長は、価格等縦覧帳簿を縦覧に供する場合には、価格等縦覧帳簿に記載（記録）をされている事項を映像面に表示して縦覧に供することができる。

(MEMO)

テーマ6
不服救済

6－1　固定資産評価審査委員会　〔ランクB〕

1．設　置（法423①）　重要度◎

固定資産課税台帳に登録された価格に関する不服を審査決定するために、市町村に、固定資産評価審査委員会を設置する。

2．定　数（法423②）　重要度◎

固定資産評価審査委員会の委員の定数は、３人以上とし、当該市町村の条例で定める。

3．選　任（法423③～⑤）　重要度◎

(1) 固定資産評価審査委員会の委員は、当該市町村の住民、市町村税の納税義務がある者又は固定資産の評価について学識経験を有する者のうちから、当該市町村の議会の同意を得て、市町村長が選任する。
(2) 市町村長は、固定資産評価審査委員会の委員が欠けた場合には、遅滞なく、当該委員の補欠の委員を選任しなければならない。この場合において当該市町村の議会が閉会中であるときは、市町村長は上記(1)にかかわらず議会の同意を得ないで補欠委員を選任することができる。
(3) 市町村長は、補欠の委員を選任した場合には、選任後最初の議会においてその選任について事後の承認を得なければならない。この場合において、事後の承認を得ることができないときは、市町村長はその委員を罷免しなければならない。

4．任　期（法423⑥）　重要度◎

固定資産評価審査委員会の委員の任期は、３年とする。ただし、補欠の委員の任期は、前任者の残任期間とする。

5．手　当（法423⑦）　重要度○

固定資産評価審査委員会の委員は、当該市町村の条例の定めるところにより、委員会の会議への出席日数に応じ、手当を受けることができる。

６．兼職禁止（法425①②）

重要度◎

(1) 固定資産評価審査委員会の委員は、次に掲げる職を兼ねることができない。

① 国会議員及び地方団体の議会の議員

② 地方団体の長

③ 農業委員会の農地部会の委員（農地部会を置かない農業委員会にあっては委員）

④ 固定資産評価員

(2) 固定資産評価審査委員会の委員は、当該市町村に対して請負をし、又は当該市町村において経費を負担する事業について当該市町村の長若しくは当該市町村の長の委任を受けた者に対して請負をする者及びその支配人又は主として同一の行為をする法人の取締役等であることができない。

７．欠格事項（法426）

重要度◎

次の(1)～(4)のいずれかに該当する者は、固定資産評価審査委員会の委員であることができない。

(1) 破産者で復権を得ない者

(2) 固定資産評価審査委員会の委員の職務に関して罪を犯し刑に処せられた者

(3) 上記(2)の者を除くほか、禁錮以上の刑に処せられた者であってその執行を終わってから、又は執行を受けることがなくなってから、２年を経過しない者

(4) 国家公務員又は地方公共団体の職員で、懲戒免職の処分を受け、当該処分の日から２年を経過しない者

８．委員の罷免（法427）

重要度◎

市町村長は、固定資産評価審査委員会の委員が心身の故障のため職務の執行ができないと認める場合又は委員に職務上の義務違反その他委員たるに適しない非行があると認める場合には、当該市町村の議会の同意を得てその任期中にこれを罷免することができる。

９．合議体（法428①～④）

重要度◎

(1) 固定資産評価審査委員会は、委員のうちから固定資産評価審査委員会が指定する者３人をもって構成する合議体で、審査の申出の事件を取り扱う。

(2) 合議体を構成する者のうちから固定資産評価審査委員会が指定する者１人を審査長とする。

(3) 合議体は、当該合議体を構成する委員の過半数の出席がなければ、会議を開き、及び議決をすることができない。

(4) 合議体の議事は、当該合議体を構成する委員の過半数をもって決する。

6−2　審査の申出　〔ランクＡ〕

１．審査の申出（法432①）　重要度◎

(1) 内　容

固定資産税の納税者は、その納付すべき当該年度の固定資産税に係る固定資産について、固定資産課税台帳に登録された価格に不服がある場合には、文書をもって、固定資産評価審査委員会に審査の申出をすることができる。

(2) 申出期間

① 原　則

固定資産の価格等のすべてを登録した旨の公示の日から納税通知書の交付を受けた日後３月を経過する日までの間

② 例　外

(イ) 道府県知事の勧告により価格等を修正して登録した場合の公示が行われた場合には、公示の日から同日後３月を経過する日（賦課額の更正に基づく納税通知書の交付を受けた者にあっては、当該納税通知書の交付を受けた日後３月を経過する日）までの間

(ロ) 固定資産の価格等のすべてを登録した旨の公示の日以後において、価格等の登録がなされていないこと又は登録された価格等に重大な錯誤があったため、市町村長が価格等を決定し又は修正したときは、納税者が当該決定又は修正に係る通知を受けた日から３月以内

２．審査の申出ができない事項（法432①）　重要度△

(1) 地方税法第389条第１項各号に掲げる固定資産又は大規模の償却資産について、道府県知事又は総務大臣が決定又は修正し、市町村長に通知した価格

(2) 据置年度の土地及び家屋の価格

ただし、地目の変換、家屋の改築又は損壊その他これらに類する特別の事情があるため比準価格によるべきものであることを申し立てる場合、修正基準を適用して修正価格によるべきものであることを申し立てる場合を除く。

３．審査の決定の手続（法433①～⑫）

重要度◎

(1) 固定資産評価審査委員会は、審査の申出を受けた場合には、直ちにその必要と認める調査その他事実審査を行い、その申出を受けた日から30日以内に審査の決定をしなければならない。

(2) 不服の審理は書面による。ただし、審査を申し出た者の求めがあった場合には、固定資産評価審査委員会は、当該審査を申し出た者に口頭で意見を述べる機会を与えなければならない。

(3) 固定資産評価審査委員会は、審査のために必要がある場合には、職権に基づいて、又は関係人の請求により審査を申し出た者及びその者の固定資産の評価に必要な資料を所持する者に対し、相当の期間を定めて、審査に関し必要な資料の提出を求めることができる。

(4) 固定資産評価審査委員会は、審査のために必要がある場合には、固定資産評価員に対し、評価調書に関する事項についての説明を求めることができる。

(5) 審査を申し出た者は、市町村長に対し、当該申出に係る主張に理由があることを明らかにするために必要な事項について、相当の期間を定めて、書面で回答するよう、書面で照会することができる。ただし、その照会が具体的又は個別的でない照会など一定のときには、この限りでない。

(6) 固定資産評価審査委員会は、審査のために必要がある場合には、上記(2)にかかわらず、審査を申し出た者及び市町村長の出席を求めて、公開による口頭審理を行うことができる。なお、この場合には、固定資産評価審査委員会は、固定資産評価員その他の関係者の出席及び証言を求めることができる。また、口頭審理の指揮は、審査長が行う。

(7) 固定資産評価審査委員会は、当該市町村の条例の定めるところにより、審査の議事及び決定に関する記録を作成しなければならない。

(8) 固定資産評価審査委員会は、上記(7)の記録を保存し、その定めるところにより、これを関係者の閲覧に供しなければならない。

(9) 固定資産評価審査委員会は、審査の決定をした場合には、その決定のあった日から10日以内に、これを審査を申し出た者及び市町村長に文書をもって通知しなければならない。

　また、上記(1)の期限までに審査の決定がないときは、その審査の申出を却下する旨の決定があったものとみなすことができる。

４．争訟の方式（法434①②）

重要度◎

(1) 固定資産税の納税者は、固定資産評価審査委員会の決定に不服があるときは、その取消しの訴えを提起することができる。

(2) 固定資産評価審査委員会に審査の申出ができる事項について不服がある固定資産税の納税者は、固定資産評価審査委員会への審査の申出、及びその決定の取消しの訴えによることによりのみ争うことができる。

５．抗告訴訟の取扱い（法434の２）

重要度○

固定資産評価審査委員会は、上記４．(1)による市町村を被告とする訴訟について、当該市町村を代表する。

６．市町村長の修正（法435①②）

重要度◎

市町村長は、固定資産評価審査委員会の審査の決定の通知を受けた場合において固定資産課税台帳に登録された価格等を修正する必要があるときは、その通知を受けた日から10日以内にその価格等を修正して登録し、その旨を当該納税者に通知しなければならない。

また、この場合には、固定資産税の賦課後であっても、その修正した価格等に基づいて、既に決定した賦課額を更正しなければならない。

(MEMO)

6−3　価格等に対する審査請求　〔ランクＢ〕

1．総務大臣指定資産（法19、390、399、400①②）　重要度○

(1) 内　容

次に掲げる固定資産について、道府県知事又は総務大臣の行った価格等の決定若しくは修正又は配分に不服がある者は、文書をもって、道府県知事又は総務大臣に審査請求をすることができる。

なお、審査請求は、その処分があったことを知った日の翌日から起算して３月を経過したときは、することができない。ただし、正当な理由があるときは、この限りでない。

*① 総務省令で定める船舶、車両その他の移動性償却資産又は可動性償却資産で二以上の市町村にわたって使用されるもののうち総務大臣が指定するもの

② 鉄道、軌道、発電、送電、配電若しくは電気通信の用に供する固定資産又は二以上の市町村にわたって所在する固定資産で、その全体を一の固定資産として評価しなければ適正な評価ができないと認められるもののうち総務大臣が指定するもの

(2) 通　知

① 道府県知事又は総務大臣は、上記(1)の審査請求に対する裁決をした場合には、その裁決をした日から10日以内にその旨を関係市町村の長に通知しなければならない。

② 総務大臣は、上記(1)の審査請求に対する裁決をしようとするときは、地方財政審議会の意見を聴かなければならない。

(3) 市町村長の修正

市町村長は、上記(2)①の通知を受けた場合には、その通知を受けた日から10日以内に、その決定に係る当該価格等を固定資産課税台帳に登録しなければならない。

また、この場合には、固定資産税の賦課後であっても、その登録した価格等に基づいて既に決定した賦課額を更正しなければならない。

(4) 出　訴

審査請求に対する裁決に不服がある者は、その裁決があったことを知った日から６カ月以内に、その処分の取消しの訴えを起こすことができる。

２．大規模の償却資産（法19、400の２①②、744）

重要度○

(1) 内　容

大規模の償却資産について、道府県知事の行った価格等の決定又は修正に不服がある者は、文書をもって、道府県知事に審査請求をすることができる。

なお、審査請求は、その処分があったことを知った日の翌日から起算して３月を経過したときは、することができない。ただし、正当な理由があるときは、この限りでない。

＊　大規模の償却資産とは、一の納税義務者が所有する償却資産で、その価額の合計額が市町村の人口段階に応じて法定されている金額を超えるものをいう。

(2) 通　知

道府県知事は、上記(1)の審査請求に対する裁決をしたときは、遅滞なく、その旨を関係市町村の長に通知しなければならない。

(3) 市町村長の修正

市町村長は、上記(2)の通知を受けた場合には、遅滞なく、当該通知に係る償却資産の価格等及び市町村が課する固定資産税の課税標準となるべき金額を修正して登録しなければならない。

また、この場合には、固定資産税の賦課後であっても、その登録した金額に基づいて既に決定した賦課額を更正しなければならない。

(4) 出　訴

審査請求に対する裁決に不服がある者は、その裁決があったことを知った日から６カ月以内に、その処分の取消しの訴えを起こすことができる。

６−４　賦課に対する不服申立て　〔ランクＣ〕

１．市町村長に対する審査請求（法19）　重要度○

(1) 内　容

市町村が課する固定資産税の賦課決定について不服がある者は、文書をもって、市町村長に審査請求をすることができる。

なお、審査請求は、その処分があったことを知った日の翌日から起算して３月を経過したときは、することができない。ただし、正当な理由があるときは、この限りでない。

(2) 出　訴

審査請求に対する裁決に不服がある者は、その裁決があったことを知った日から６カ月以内に、その処分の取消しの訴えを起こすことができる。

２．仮算定税額に係る修正の申出（法364の２①～④）　重要度△

(1) 修正の申出

仮徴収の適用を受ける固定資産に係る当該年度分の固定資産税額が仮算定税額の２分の１に相当する額に満たないこととなると認められる場合には、当該仮徴収をされることとなる者は、仮徴収に係る納税通知書の交付を受けた日から30日以内に、文書をもって市町村長に仮徴収される固定資産税額の修正を申し出ることができる。

(2) 修正の申出に対する決定

上記(1)の修正の申出に対する市町村長の決定は、その申出を受理した日から30日以内にしなければならない。

この場合において、当該申出について相当の理由があると認められるときは、市町村長は、当該固定資産に係る当該年度分の固定資産税額の見積額を基礎として、仮徴収する固定資産税額を修正しなければならない。

３．道府県知事に対する審査請求（法745）　重要度○

大規模の償却資産について、道府県が課する固定資産税の賦課決定に対する審査請求については、上記１．、２．の規定中「市町村長」とあるのは「道府県知事」と読み替えて準用する。

テーマ7

価格等の修正

7−1　価格等の修正　〔ランクB〕

1．未登録又は重大な錯誤を発見した場合

（法400の2①、417①〜③、743②）

重要度◎

(1) 一般の固定資産

市町村長は、固定資産の価格等のすべてを登録した旨の公示の日以後において、固定資産の価格等の登録がなされていないこと又は登録された価格等に重大な錯誤があることを発見した場合には、直ちに固定資産課税台帳に登録された類似の固定資産の価格と均衡を失しないように価格等を決定し、又は決定された価格等を修正して、これを固定資産課税台帳に登録しなければならない。

この場合には、市町村長は、遅滞なく、その旨を当該固定資産に対して課する固定資産税の納税義務者に通知しなければならない。

(2) 総務大臣指定資産

地方税法第389条第1項各号に掲げる固定資産について、道府県知事又は総務大臣は、価格等の配分の通知をした後において固定資産の価格等の決定がなされていないこと又は決定された価格等に重大な錯誤があることを発見した場合には、直ちに類似の固定資産の価格と均衡を失しないように、価格等を決定し、又は決定された価格等を修正するとともに、当該決定又は修正に係る固定資産が所在するものとされる市町村を決定し、及び当該決定又は修正に係る価格等を当該市町村に配分し、その配分に係る固定資産及びその配分した価格等を当該市町村の長に通知しなければならない。

この場合には、道府県知事又は総務大臣は、遅滞なく、その旨を当該固定資産の所有者に通知しなければならない。

また、市町村長は、上記による通知を受けた場合には、遅滞なく、当該市町村に配分された固定資産の価格等を固定資産課税台帳に登録しなければならない。

(3) 大規模の償却資産

大規模の償却資産について、道府県知事は、決定した価格等に重大な錯誤があることを発見した場合には、直ちに、当該価格等を修正し、遅滞なく修正した価格等及び道府県が課する固定資産税の課税標準となるべき金額を納税義務者及び当該償却資産の所在地の市町村長に通知しなければならない。

また、市町村長は上記による通知を受けた場合には、遅滞なく、当該通知に係る償却資産の価格等及び市町村が課する固定資産税の課税標準となるべき金額を修正して登録しなければならない。

2．審査の申出に対する決定若しくは審査請求に対する裁決があった場合

（法399、400①、400の２①、435①、744）

重要度◎

(1) 一般の固定資産

市町村長は、固定資産評価審査委員会の審査の決定の通知を受けた場合において、固定資産課税台帳に登録された価格等を修正する必要があるときは、その通知を受けた日から10日以内にその価格等を修正して登録し、その旨を当該納税者に通知しなければならない。

また、この場合には、固定資産税の賦課後であっても、その修正した価格等に基づいて、既に決定した賦課額を更正しなければならない。

(2) 総務大臣指定資産

道府県知事又は総務大臣が、地方税法第389条第１項各号に掲げる固定資産の価格等に係る審査請求に対する裁決をした場合において、その旨を関係市町村の長に通知したときは、当該市町村長は、その通知を受けた日から10日以内に、その決定に係る当該価格等を固定資産課税台帳に登録しなければならない。

また、この場合には、固定資産税の賦課後であっても、その登録した価格等に基づいて既に決定した賦課額を更正しなければならない。

(3) 大規模の償却資産

道府県知事が、大規模の償却資産の価格等に係る審査請求に対する裁決をした場合において、その旨を関係市町村の長に通知したときは、当該市町村長は、遅滞なく、当該通知に係る償却資産の価格等及び市町村が課する固定資産税の課税標準となるべき金額を修正して登録しなければならない。

また、この場合には、固定資産税の賦課後であっても、その登録した金額に基づいて既に決定した賦課額を更正しなければならない。

３．修正勧告により修正する場合（法419①～⑧、420）

重要度○

(1) 勧　告

道府県知事は、市町村における一般の固定資産の価格の決定が、固定資産評価基準及び修正基準により行われていないと認める場合には、当該市町村の長に対し、固定資産課税台帳に登録された価格を修正して登録するように勧告するものとする。

(2) 市町村長の修正

上記(1)の勧告を受けた市町村長は、その勧告について固定資産の価格等を修正する必要があると認める場合には、遅滞なく、その価格等を修正して登録しなければならない。

(3) 公　示

市町村長は、上記(2)により、固定資産の価格等を修正して登録した場合には、直ちに、その旨を公示しなければならない。

(4) 縦　覧

① 作　成

市町村長は、道府県知事の勧告により土地又は家屋の価格等を修正して登録した場合には、直ちに、土地価格等縦覧帳簿又は家屋価格等縦覧帳簿を作成しなければならない。

② 縦　覧

市町村長は、上記①に基づいて土地価格等縦覧帳簿又は家屋価格等縦覧帳簿を作成した場合には、その作成の日から20日以上の期間、その指定する場所において、土地価格等縦覧帳簿若しくは家屋価格等縦覧帳簿又はそれらの写しを当該市町村内に所在する土地又は家屋に対して課する固定資産税の納税者の縦覧に供しなければならない。

③ 公　示

市町村長は、上記②の縦覧の場所及び期間を、あらかじめ、公示しなければならない。

(5) 賦課額の更正

市町村長は、上記(2)により固定資産の価格等を修正して登録した場合には、固定資産税の賦課後であっても、修正して登録された価格等に基づいて、既に決定したその賦課額を更正しなければならない。

《参考》

(1) 修正勧告に基づく修正をしない場合の報告（法421②）

市町村長は、修正勧告について、固定資産の価格等を修正する必要がないと認めた場合には、その勧告を受けた日から20日以内にその旨を道府県知事に報告しなければならない。

(2) 総務大臣による修正勧告の指示（法422の２①～③）

① 勧告の指示

総務大臣は、市町村における一般の固定資産の価格の決定が、固定資産評価基準及び修正基準により行われていないと認める場合には、道府県知事に対し、当該市町村の長に修正勧告をするように指示するものとする。

② 意見聴取

総務大臣は、修正勧告の指示をしようとするときは、地方財政審議会の意見を聴かなければならない。

③ 道府県知事の報告

上記①の指示を受けた道府県知事は、当該指示を受けた日から30日以内に、当該指示に基づいてした措置について総務大臣に報告しなければならない。

(3) 概要調書の作成・送付（法418、421①、422、743③）

① 市町村長は、固定資産の価格等を決定した場合又は、地方税法第389条第１項各号に掲げる固定資産について、当該市町村に配分された固定資産の価格等を登録した場合には、総務省令で定めるところにより、その結果の概要調書を作成し、毎年４月中にこれを道府県知事に送付しなければならない。ただし、災害その他特別の事情があることにより、４月１日以後に決定した場合には、その決定した日から一月以内に送付しなければならない。

② 市町村長は、修正勧告に基づいて固定資産の価格等を修正して登録した場合には、新たに概要調書を作成して、勧告を受けた日から40日以内にこれを道府県知事に送付しなければならない。

③ 道府県知事は、大規模の償却資産の価格等を決定した場合には、総務省令で定めるところにより、その結果の概要調書を作成し、毎年４月中にこれを総務大臣に送付しなければならない。ただし、災害その他特別の事情があることにより、４月１日以後に通知した場合には、その通知した日から一月以内に送付しなければならない。

④ 道府県知事は、上記①若しくは②による概要調書又は修正勧告に基づく修正が行われなかった場合の報告に基づいて、かつ、すべての概要調書の送付及び報告を受けた後、一月以内に道府県内の固定資産の価格等の概要調書を作成して、これを総務大臣に送付しなければならない。

(MEMO)

テーマ8

その他の規定

8−1　区分所有家屋及びその敷地の特例　〔ランクＣ〕

1．区分所有家屋（法352①～③）　重要度○

(1) 税額の按分

区分所有家屋に対して課する固定資産税については、区分所有法に規定する区分所有者は、共有物の連帯納税義務の規定にかかわらず、当該区分所有家屋に係る固定資産税額を専有部分の床面積の割合により按分した額を納付する義務を負う。

(2) 居住用超高層建築物に係る税額の按分

区分所有家屋のうち、居住用超高層建築物（高さが60ｍを超える建築物であって、複数の階に人の居住の用に供する専有部分を有し、かつ、当該専有部分の個数が２個以上のもの）に対して課する固定資産税については、当該居住用超高層建築物の専有部分に係る区分所有者は、共有物の連帯納税義務の規定にかかわらず、当該居住用超高層建築物に係る固定資産税額を、次の専有部分の区分に応じ、それぞれに定める専有部分の床面積の当該居住用超高層建築物の全ての専有部分の床面積の合計に対する割合により按分した額を納付する義務を負う。

①　人の居住の用に供する専有部分

当該専有部分の床面積を全国における居住用超高層建築物の各階ごとの取引価格の動向を勘案して総務省令で定めるところにより補正した当該専有部分の床面積

＊　上記により補正した専有部分の床面積は、居住用超高層建築物の全ての専有部分の床面積の合計から下記②に規定する専有部分の床面積の合計を控除して得た床面積に、次の算式により計算した人の居住の用に供する専有部分に係る数値を当該居住用超高層建築物における全ての人の居住の用に供する専有部分に係る当該数値の合計で除した数値を乗じたものとする。

人の居住の用に供する専有部分の床面積×｛100＋（10／39）×（人の居住の用に供する専有部分が所在する階−１）｝

②　上記①以外の専有部分

当該専有部分の床面積

(3) 補　正

専有部分の天井の高さ、附帯設備の程度その他総務省令で定める事項について著しい差違がある場合には、税額按分の基礎となる持分の割合は、一定の方法により当該割合を補正した割合となる。

(4) 全員の共有に属する共用部分がない場合

区分所有法の規定による規約により区分所有者又は管理者が所有する共用部分については、当該共用部分を区分所有者全員の共有に属するものとみなして、上記(1)を適用する。

２．区分所有家屋の敷地（法352の２①②⑤）　重要度○

(1) 税額の按分

区分所有家屋の敷地の用に供されている土地（以下「共用土地」という。）で、次の要件を満たすものに対して課する固定資産税については、当該共用土地に係る納税義務者で区分所有家屋の各区分所有者であるもの（以下「共用土地納税義務者」という。）は、共有物の連帯納税義務の規定にかかわらず、当該共用土地に係る固定資産税額を各共用土地納税義務者の当該共用土地に係る持分の割合により按分した額を納付する義務を負う。

① 区分所有家屋の区分所有者全員により共有されているものであること

② 各共用土地納税義務者の当該共用土地に係る持分の割合が、区分所有者全員の共有に属する共用部分に係る持分の割合と一致するものであること

(2) 補　正

当該共用土地が住宅用地及び住宅用地以外を併せ有する土地である場合又は小規模住宅用地及び小規模住宅用地以外の住宅用地を併せ有する土地である場合には、税額按分の基礎となる持分の割合は、一定の方法により当該割合を補正した割合となる。

(3) 全員の共有に属する共用部分がない場合

共用土地に係る区分所有家屋に区分所有者全員の共有に属する共用部分がない場合には、上記１．(4)を準用する。

(4) 持分割合が一致しない共用土地の税額の按分

上記(1)①の要件には該当するが、②の要件には該当しない共用土地に対して課する固定資産税については、共用土地納税義務者全員の合意により定めた割合により固定資産税額を按分することを、当該市町村の条例で定めるところにより、市町村長に申し出た場合において、市町村長が当該割合により按分することが適当であると認めたときは、各共用土地納税義務者は、共有物の連帯納税義務の規定にかかわらず、当該共用土地に係る固定資産税額を当該割合により按分した額を納付する義務を負う。

《参考》

(1) 被災区分所有家屋の敷地の税額の按分 (法352の２③)

被災共用土地に対して課する被災年度の翌年度分又は翌々年度分の固定資産税については、被災共用土地納税義務者は、共有物の連帯納税義務の規定にかかわらず、当該被災共用土地に係る固定資産税額を各被災共用上地納税義務者の当該被災共用土地に係る持分の割合により按分した額を納付する義務を負う。

(2) 大規模の修繕等が行われた場合に認められる減額制度

市町村は、新築された日から20年以上を経過したマンションのうち、政令で定める一定の要件を満たすものであって、令和５年４月１日から令和７年３月31日までの間にマンションの建物の外壁について行う修繕又は模様替を含む大規模な工事で総務省令で定めるものが行われたもの（以下「特定マンション」という。）に係る区分所有に係る家屋に対して課する固定資産税については、当該工事が完了した日の属する年の翌年１月１日を賦課期日とする年度分の固定資産税に限り、当該特定マンションに係る区分所有に係る家屋に係る固定資産税の３分の１を参酌して６分の１以上２分の１以下の範囲内において市町村の条例で定める割合に相当する額を当該特定マンションに係る区分所有に係る家屋に係る固定資産税額から減額するものとする。

（MEMO）

8−2　宅地等に対する課税　〔ランクＡ〕

1．本来の税額　重要度○

(1) 小規模住宅用地

当該年度分の価格の６分の１の額を課税標準となるべき額とした場合における税額とする。

(2) 一般住宅用地

当該年度分の価格の３分の１の額を課税標準となるべき額とした場合における税額とする。

(3) (1)及び(2)以外

当該年度分の価格を課税標準となるべき額とした場合における税額とする。

2．負担調整措置　重要度◎

(1) 趣　旨

負担調整措置は、固定資産税の税負担水準が地域や土地によりばらつきのある現状を踏まえ、課税の公平の観点から、負担水準の高い土地に対しては税負担を上昇させず、前年度の税額を据置き、あるいは引下げ、負担水準の低い土地に対しては税負担を上昇させ、税負担の均衡を図ることを目的とする制度である。

(2) 内　容

① 宅地等調整固定資産税額

宅地等に係る固定資産税額は、当該年度分の固定資産税額が、前年度課税標準額又は比準課税標準額に、当該年度分の価格（住宅用地の特例の適用を受けるものにあっては、価格に特例率を乗じて得た額。以下同じ。）に100分の５を乗じて得た額を加算した額を当該年度分の課税標準となるべき額とした場合における固定資産税額（以下「宅地等調整固定資産税額」という。）を超える場合には、当該宅地等調整固定資産税額とする。

② 上　限

上記①の適用を受ける商業地等に係る宅地等調整固定資産税額は、当該宅地等調整固定資産税額が、当該年度分の価格に10分の６を乗じて得た額を当該年度分の課税標準となるべき額とした場合における固定資産税額を超える場合には、上記①にかかわらず、当該固定資産税額とする。

③　下　限

上記①の適用を受ける宅地等に係る宅地等調整固定資産税額は、当該宅地等調整固定資産税額が、当該年度分の価格に10分の２を乗じて得た額を当該年度分の課税標準となるべき額とした場合における固定資産税額に満たない場合には、上記①にかかわらず、当該固定資産税額とする。

④　商業地等据置固定資産税額

商業地等のうち当該年度の負担水準が0.6以上0.7以下のものに係る固定資産税額は、上記①にかかわらず、前年度課税標準額又は比準課税標準額を当該年度分の課税標準となるべき額とした場合における固定資産税額（「商業地等据置固定資産税額」という。）とする。

⑤　商業地等調整固定資産税額

商業地等のうち当該年度の負担水準が0.7を超えるものに係る固定資産税額は、上記①にかかわらず、当該年度分の価格に10分の７を乗じて得た額を当該年度分の課税標準となるべき額とした場合における固定資産税額（「商業地等調整固定資産税額」という。）とする。

テーマ８　その他の規定

《参考》

(1) 商業地等の減額

市町村は、当該年度分の固定資産税について、商業地等に係る当該年度分の固定資産税額（当該商業地等が負担調整措置の適用を受ける商業地等であるときは、当該年度の宅地等調整固定資産税額、商業地等据置固定資産税額又は商業地等調整固定資産税額とする。）が、当該商業地等に係る当該年度分の価格に10分の６以上10分の７未満の範囲内において当該市町村の条例で定める割合を乗じて得た額を当該商業地等に係る当該年度分の固定資産税の課税標準となるべき額とした場合における固定資産税額を超える場合には、その超えることとなる額に相当する額を、当該商業地等に係る固定資産税額から減額することができる。

(2) 住宅用地等の減額

市町村は、当該年度分の固定資産税について、当該市町村の区域において、当該区域に所在する住宅用地等（住宅用地、商業地等及び市街化区域農地をいう。）に係る当該年度分の固定資産税額（当該住宅用地等が負担調整措置の適用を受ける住宅用地等であるときは、当該年度分の宅地等調整固定資産税額、商業地等据置固定資産税額、商業地等調整固定資産税額又は市街化区域農地調整固定資産税額とする。）が、当該住宅用地等の当該年度分の固定資産税に係る前年度課税標準額に、100分の110以上の割合であって住宅用地、商業地等及び市街化区域農地の区分ごとに当該市町村の条例で定めるもの（「負担上限割合」という。）を乗じて得た額を当該住宅用地等に係る当該年度分の固定資産税の課税標準となるべき額とした場合における固定資産税額を超える場合には、その超えることとなる額に相当する額を、当該住宅用地等に係る固定資産税額から減額することができる。

（MEMO）

8−3　農地に対する評価と課税　〔ランクＢ〕

１．評　価　　重要度○

(1) 市街化区域農地

① 通常市街化区域農地

通常市街化区域農地に対して課する固定資産税の課税標準となるべき価格については、当該通常市街化区域農地とその状況が類似する宅地の固定資産税の課税標準とされる価格に比準する価格により定められるべきものとする。

② 田園住居地域内市街化区域農地

田園住居地域内市街化区域農地に対して課する固定資産税の課税標準となるべき価格については、当該田園住居地域内市街化区域農地とその状況が類似する宅地の固定資産税の課税標準とされる価格に比準する価格を固定資産評価基準により補正した価格により定められるべきものとする。

(2) 一般農地

一般農地に対して課する固定資産税の課税標準となるべき価格については、農地を農地として利用する場合における売買価額を基準として評価した価格により定められるべきものとする。

２．課　税　　重要度◎

(1) 市街化区域農地

① 一般市街化区域農地

(イ) 本来の税額

当該年度分の価格の３分の１の額を課税標準となるべき額とした場合における税額とする。

(ロ) 負担調整措置

農地に係る固定資産税額は、当該年度分の固定資産税額が、前年度課税標準額又は比準課税標準額に、当該年度の負担水準の区分に応じた負担調整率を乗じて得た額を当該年度分の課税標準となるべき額とした場合における固定資産税額（以下「農地調整固定資産税額」という。）を超える場合には、当該農地調整固定資産税額とする。

負担水準の区分	負担調整率
0.9以上	1.025
0.8以上　0.9未満	1.05
0.7以上　0.8未満	1.075
0.7未満	1.1

②　特定市街化区域農地

(ｲ) 本来の税額

当該年度分の価格の３分の１の額を課税標準となるべき額とした場合における税額とする。

また、原則として新たに課税の適正化措置の適用を受けることとなる年度から４年度分について軽減率（順次 0.2、0.4、0.6、0.8）を適用する。

(ﾛ) 負担調整措置

㋑　市街化区域農地調整固定資産税額

市街化区域農地に係る固定資産税額は、当該年度分の固定資産税額が、前年度課税標準額又は比準課税標準額に、当該年度分の価格の３分の１の額に100分の５を乗じて得た額を加算した額を当該年度分の課税標準となるべき額とした場合における固定資産税額（以下「市街化区域農地調整固定資産税額」という。）を超える場合には、当該市街化区域農地調整固定資産税額とする。

㋺　下　限

上記㋑の適用を受ける市街化区域農地に係る市街化区域農地調整固定資産税額は、当該市街化区域農地調整固定資産税額が、当該年度分の価格の３分の１の額に10分の２を乗じて得た額を当該年度分の課税標準となるべき額とした場合における固定資産税額に満たない場合には、上記㋑にかかわらず、当該固定資産税額とする。

(2) 一般農地

①　本来の税額

当該年度分の価格を課税標準となるべき額とした場合における税額とする。

②　負担調整措置

上記(1)①(ﾛ)と同様。

《参考》

(1) みなし前年度課税標準額

　特定市街化区域農地に該当するもののうち、前年度に係る賦課期日において特定市街化区域農地以外の農地に該当していたものに係る固定資産税については、当該市街化区域農地が前年度に係る賦課期日において特定市街化区域農地であったものとみなして負担調整措置を適用する。

(2) 仮定計算による前年度課税標準額

　特定市街化区域農地に該当するもののうち、前年度分の固定資産税について軽減率の適用を受けたものであって負担調整措置の適用を受けないものについては、課税の適正化措置の初年度から前年度までに係る賦課期日において、特例率の適用を受け、かつ、軽減率の適用を受けない市街化区域農地であったものとみなして負担調整措置を適用する。

(MEMO)

8－4　刑　罰　〔ランクC〕

1．固定資産税に係る検査拒否等に関する罪（法354①）　重要度○

市町村の徴税吏員、固定資産評価員又は固定資産評価補助員が行う質問検査権について下記の事項のいずれかに該当する場合には、その違反行為をした者は、1年以下の懲役又は50万円以下の罰金に処する。

(1) 帳簿書類その他の物件の検査を拒み、妨げ、又は忌避したとき。

(2) 物件の提示又は提出の要求に対し、正当な理由がなくこれに応ぜず、又は偽りの記載若しくは記録をした帳簿書類その他の物件を提示し、若しくは提出したとき。

(3) 質問に対し答弁をしないとき、又は虚偽の答弁をしたとき。

2．固定資産税の納税管理人に係る虚偽の申告等に関する罪（法356①）　重要度○

納税管理人について虚偽の申告等をしたときは、その違反行為をした者は、30万円以下の罰金に処する。

3．固定資産税の脱税に関する罪（法358①～④）　重要度○

(1) 偽りその他不正の行為により固定資産税の全部又は一部を免れたときは、その違反行為をした者は、５年以下の懲役若しくは100万円以下の罰金に処し、又はこれを併科する。

(2) 上記(1)の免れた税額が100万円を超える場合には、情状により罰金の額は、上記(1)にかかわらず、100万円を超える額でその免れた税額に相当する額以下の額とすることができる。

(3) 上記(1)に規定するもののほか、固定資産の申告の規定により申告すべき事項について申告をしないことにより、固定資産税の全部又は一部を免れたときは、その違反行為をした者は、３年以下の懲役若しくは50万円以下の罰金に処し、又はこれを併科する。

(4) 上記(3)の免れた税額が50万円を超える場合には、情状により罰金の額は、上記(3)にかかわらず、50万円を超える額でその免れた税額に相当する額以下の額とすることができる。

４．固定資産税に係る滞納処分に関する罪（法374①～③）

重要度○

(1) 固定資産税の納税者が、滞納処分の執行を免れる目的でその財産を隠蔽し、損壊し、若しくは市町村の不利益に処分し、その財産に係る負担を偽って増加する行為をし、又はその現状を改変して、その財産の価額を減損し、若しくは滞納処分に係る滞納処分費を増大させる行為をしたときは、その者は、３年以下の懲役若しくは250万円以下の罰金に処し、又はこれを併科する。

(2) 納税者の財産を占有する第三者が納税者に滞納処分の執行を免かれさせる目的で上記(1)の行為をしたときも、同様とする。

(3) 情を知って上記(1)、(2)の行為につき納税者又はその財産を占有する第三者の相手方となったときは、その相手方としてその違反行為をした者は、２年以下の懲役若しくは150万円以下の罰金に処し、又はこれを併科する。

５．国税徴収法の例による固定資産税に係る滞納処分に関する検査拒否等の罪（法375①）

重要度○

滞納処分の場合において、市町村の徴税吏員が行う質問検査権について下記の事項のいずれかに該当する場合には、その違反行為をした者は、１年以下の懲役又は50万円以下の罰金に処する。

(1) 質問に対して答弁をせず、又は偽りの陳述をしたとき。

(2) 帳簿書類その他の物件の検査を拒み、妨げ、又は忌避したとき。

(3) 物件の提示又は提出の要求に対し、正当な理由がなくこれに応ぜず、又は偽りの記載若しくは記録をした帳簿書類その他の物件を提示し、若しくは提出したとき。

６．国税徴収法の例による固定資産税に係る滞納処分に関する虚偽の陳述の罪（法376）

重要度○

滞納処分の場合において、市町村長に対して暴力団員等に該当しないことの陳述について虚偽の陳述をした者は、６月以下の懲役又は50万円以下の罰金に処する。

７．固定資産に係る虚偽の申告等に関する罪（法385①）

重要度○

一般の償却資産、住宅用地の所有者又は現所有者の申告の規定により申告すべき事項について虚偽の申告をしたときは、その違反行為をした者は、１年以下の懲役又は50万円以下の罰金に処する。

８．総務大臣指定資産に係る申告の義務違反に関する罪　(法395①)

重要度○

地方税法第389条第１項各号に掲げる固定資産の申告の規定により申告すべき事項について申告をせず、又は虚偽の申告をしたときは、その違反行為をした者は、１年以下の懲役又は50万円以下の罰金に処する。

９．固定資産税に係る道府県の職員及び総務省の職員が行う検査拒否等に関する罪　(法397①)

重要度○

道府県指定職員及び総務省指定職員が行う質問検査権について下記の事項のいずれかに該当する場合には、その違反行為をした者は、１年以下の懲役又は50万円以下の罰金に処する。

(1) 帳簿書類その他の物件の検査を拒み、妨げ、又は忌避したとき。
(2) 物件の提示又は提出の要求に対し、正当な理由がなくこれに応ぜず、又は偽りの記載若しくは記録をした帳簿書類その他の物件を提示し、若しくは提出したとき。
(3) 質問に対し答弁をしないとき、又は虚偽の答弁をしたとき。

10．大規模の償却資産に関する罪　(法745①)

重要度○

大規模の償却資産について、道府県が課する固定資産税の刑罰の適用については、上記１．～７．の規定中「市町村」とあるのは「道府県」と読み替えて準用する。

《参考》両罰規定

上記１．～10．において法人の代表者又は法人若しくは人の代理人、使用人その他の従業者がその法人又は人の業務又は財産に関して違反行為をした場合には、その行為者を罰するほか、その法人又は人に対し、罰金刑を科する。

過去問題

過去問題は、本試験問題の傾向の把握と、学習進度の確認の目安としてご使用いただくために、掲載しております。

そのため、問題文及びコメントのみの掲載としております。

過去問題

1 出題傾向分析（第64回～第73回）

回　数	内　　　容	形　式	難易度
第64回 （平成26年度）	1．免税点 2．固定資産課税台帳、納税義務者	個　別 事　例	A B
第65回 （平成27年度）	1．宅地等に対する課税（課税標準を含む） 2．固定資産課税台帳の閲覧、審査の申出	事　例 複　合	B B
第66回 （平成28年度）	1．住宅用地の特例 2．償却資産の範囲及び固定資産評価基準に基づく償却資産の評価	用語使用 用語使用	C B
第67回 （平成29年度）	1．移動性償却資産の課税団体、申告及び評価・価格等の決定及び登録 2．固定資産課税台帳の閲覧及び価格等縦覧帳簿の縦覧	複　合 複　合	B B
第68回 （平成30年度）	1．区分所有家屋及びその敷地の特例 2．商業地等に係る固定資産税額の変動	個　別 総　合	A C
第69回 （令和元年度）	1．市町村又は市町村長が行わなければいけない事項 2．不動産登記との関係	複　合 複　合	B B
第70回 （令和２年度）	1．情報開示及び不服救済制度 2．納税義務者	複　合 事　例	B B
第71回 （令和３年度）	1．申告制度 2．免税点	個　別 個　別	A A
第72回 （令和４年度）	1．都道府県の役割 2．住宅用地の特例	総　合 事　例	C C
第73回 （令和５年度）	1．固定資産課税台帳の閲覧及び証明書の交付並びに価格等縦覧帳簿の縦覧 2．固定資産課税台帳、納税義務者	複　合 事　例	B B

（注１）形式については、個別理論以外について次の４パターンに分類してある。
〔パターン１〕複合理論（個別理論の組合せにより複数の論点を解答させる形式）
〔パターン２〕事例理論（事例を与えその内容を事例に即して判断、解答させる形式）
〔パターン３〕総合理論（広範囲の論点から該当部分をすべて挙げ、内容を説明させる形式）
〔パターン４〕用語使用理論（与えられた用語により、解答範囲を限定させる形式）
（注２）「難易度」については、難易度が高い順にＡ～Ｃで示してある。

2 年度順出題理論（第１回～第73回）

固定資産税の本試験は、第１回（昭和26年度）から第26回（昭和51年度）までは、ほとんど理論問題のみの出題であったが、第27回（昭和52年度）から、現在の出題形式である理論及び計算での出題が定着している。

※「コメント」は関連する個別問題の枝番号を示す。

第１回（昭和26年度）

（第一問）

固定資産税の課税客体について説明しなさい。

（第二問）

固定資産税の課税標準の決定の手続について説明しなさい。

コメント

第一問　1-1

第二問　4-3、4-4、4-5

第２回（昭和27年度）

（第一問）

固定資産税の納税義務者について説明しなさい。

（第二問）

次の事項について説明しなさい。

１．固定資産課税台帳

２．固定資産評価審査委員会

コメント

第一問　1-3

第二問　5-1、6-1

第３回（昭和28年度）

（第一問）

固定資産の価格の決定に不服がある場合における救済の方法について述べなさい。

（第二問）

次の言葉を説明しなさい。

１．固定資産評価員

２．償却資産

３．固定資産税の免税点

4．固定資産税の賦課期日
5．普通徴収

コメント

第一問　6-2、6-3
第二問　1-1、2-2、3-2、4-2

第４回（昭和29年度）

（第一問）

償却資産に対して課する固定資産税の課税団体について述べなさい。

（第二問）

市町村長と固定資産評価員及び固定資産評価審査委員会との関係について述べなさい。

コメント

第一問　1-2
第二問　4-2、6-1

第５回（昭和30年度）

（第一問）

固定資産の価格の決定について、誤りがあった場合における価格の修正について述べなさい。

（第二問）

次の事項について簡単に説明しなさい。

1．移動性償却資産の課税団体
2．報奨金
3．税率
4．縦覧期間

コメント

第一問　7-1
第二問　1-2、3-2（2．は現在、未学習、4．は現行では固定資産課税台帳の閲覧であるため、解答不能）

第６回（昭和31年度）

（第一問）

固定資産の評価及び価格決定の権限を有する者について説明しなさい。

（第二問）

次の事項について簡単に説明しなさい。

1．基準年度

2．台帳課税主義

3．異議の申立と審査の申出との相違点

コメント

第一問　4-2

第二問　1-4、5-1（3．は改正により、解答不能）

第7回（昭和32年度）

（第二問）

次の(1)から(4)までに述べたところに誤りがあれば、これを訂正しなさい。

（例）問　(1)　固定資産税の税率は、100分の1.6である。

答　(1)　固定資産税の標準税率は、100分の1.4である。

(1) 固定資産税の賦課期日は、当該年度の４月１日であって、４月１日後に納税義務が発生した者には、その発生した月の翌月から月割をもって課税する。

(2) 固定資産税は、申告納付の方法によって徴収する税であって、納税者は、毎年度、４月、７月、12月及び２月中において当該市町村の条例で定める申告期限までに、課税標準額及び税額を申告し、当該税額を納付しなければならない。

(3) 固定資産税の納税者は、市町村長、道府県知事又は総務大臣が決定した価格について不服があるときは、固定資産評価審査委員会に審査の申出をすることができる。

(4) 国並びに地方公共団体が公用又は公共の用に供する固定資産に対しては、すべて固定資産税を課することができない。

コメント

第二問　1-3、2-1、3-1、3-2、6-2、6-3

第8回（昭和33年度）

（第一問）

昭和34年１月１日に所在する固定資産に対する昭和34年度分の固定資産税の課税標準について述べなさい。

（注）発電施設等に対する固定資産税の課税標準の特例について述べることを要しない。

（第二問）

固定資産税の課税客体である償却資産の特質を述べなさい。

（第三問）

登記簿と土地（家屋）課税台帳及び土地（家屋）補充課税台帳との関係について述べなさい。

（第四問）

固定資産税の納期前の納付について述べなさい。

コメント

第一問　1-4、1-5

第二問　1-1

第三問　5-1

第四問　現在、未学習

第９回（昭和34年度）

（第一問）

船舶に対して課する固定資産税の課税団体、評価及び価格の決定並びに課税標準について述べなさい。

（注）価格の決定に不服がある場合における救済方法及び大規模の償却資産に係る課税標準の特例については、述べることを要しない。

（第二問）

登記簿に所有者として登記されていない者が、土地に対して課する固定資産税の納税義務者となる場合について述べなさい。

（第三問）

次の事項について、簡単に述べなさい。

(1) 固定資産税の賦課徴収に関する条例と地方税法との関係

(2) 固定資産の価格の修正に関する道府県知事の勧告

コメント

第一問　1-2、1-5、4-3、4-4、4-5

第二問　1-3

第三問　7-1

第10回（昭和35年度）

（第一問）

土地に対して課する昭和35年度分の固定資産税の課税標準について述べなさい。

（第二問）

地方税法第389条第１項第１号の規定によって総務大臣が指定した航空機に対して課する固定資産税の課税団体および当該航空機の価格等の配分方法について述べなさい。

（第三問）

道府県知事が固定資産税の課税の基礎となる固定資産の価格を決定する場合について述べなさい。また、この道府県知事の価格の決定に不服がある者の救済方法についてもあわせて述べなさい。

（第四問）

仮算定税額に係る固定資産税の徴収について述べなさい。

コメント

第一問　1-4

第二問　1-2

第三問　4-4、4-5、6-3

第四問　3-2

第11回（昭和36年度）

（第一問）

（表　面）

<table>
<tr><td colspan="3">家屋の所在</td><td colspan="10">番地　　　　号</td></tr>
<tr><td colspan="3">家屋番号</td><td colspan="4"></td><td colspan="2">家屋の種類</td><td colspan="3"></td><td></td></tr>
<tr><td rowspan="2">床面積</td><td rowspan="2">年度</td><td rowspan="2">価格</td><td rowspan="2">価格登録年月日</td><td rowspan="2">沿革</td><td rowspan="2">登記年月日</td><td rowspan="2">事由</td><td colspan="2">所有者</td><td colspan="3">現に所有している者
所有者とみなされる者</td><td rowspan="2">摘要</td></tr>
<tr><td>住所</td><td>氏名又は名称</td><td>住所</td><td>氏名又は名称</td><td>登録年月日</td></tr>
<tr><td></td><td></td><td>円</td><td></td><td></td><td></td><td></td><td></td><td></td><td></td><td></td><td></td><td></td></tr>
</table>

上記の様式は、地方税法施行規則第二十五号様式の一部である。これについて次の問に答えなさい。

問１　この様式によるものは何であるか。

問２　「現に所有している者　所有者とみなされる者」の欄に登録される者は、どのような場合の誰であるか。

問３　それぞれの登録事項について不服がある場合においては、どのような救済方法があるか。

（第二問）

課税客体、課税標準その他賦課徴収において、土地又は家屋に対して課する固定資産税に比較して認められる償却資産に対して課する固定資産税の特色を列挙して、簡潔に述べなさい。

（第三問）

固定資産税における土地又は家屋の価格の決定と不動産取得税における不動産の価格の決定との関係について簡単に説明しなさい。

コメント

第一問　1-3、6-2、6-4

第二問　1-1、1-5、3-1、3-2

第三問　4-3

第12回（昭和37年度）

（第一問）

次の事項について説明しなさい。

No.1　家屋に対して課する固定資産税の納税義務者

No.2　土地に対して課する第２年度の固定資産税の課税標準

No.3　発電所の用に供する償却資産に対して課する固定資産税の課税標準

（第二問）

地方税法第359条は、「固定資産税の賦課期日は、当該年度の初日の属する年の１月１日とする。」と定めています。このように賦課期日を定めていることは、固定資産税の課税上どのような意義を有するものであるか説明しなさい。

（第三問）

次の事項について簡単に説明しなさい。

No.1　固定資産税の標準税率

No.2　土地補充課税台帳

コメント

第一問　1-3、1-4、1-5

第二問　テーマ１

第三問　3-2、5-1

第13回（昭和38年度）

（第一問）

次に掲げる土地又は家屋に対して課する昭和38年度分の固定資産税の課税標準について説明して下さい。

No.１　昭和36年度において新たに固定資産税を課することとなった土地
No.２　昭和38年度において新たに固定資産税を課することとなった家屋
（第二問）
　次に掲げる事項について簡単に説明して下さい。
No.１　償却資産に対して課する固定資産税の納税義務者
No.２　固定資産税の減免
（第三問）
　道府県が課する固定資産税の税率及び納期について説明して下さい。

コメント

　第一問　1-4
　第二問　1-3、2-1
　第三問　3-1、3-2

第14回（昭和39年度）

（第二問）
　次に掲げる事項について説明しなさい。
No.１　固定資産評価基準
No.２　中央固定資産評価審議会
（第三問）
　土地名寄帳と土地課税台帳及び土地補充課税台帳との相違について説明しなさい。

コメント

　第二問　No.１は現在、未学習、No.２は改正により、解答不能
　第三問　5-2

第15回（昭和40年度）

（第二問）
　次の事項について簡単に説明しなさい。
(1)　償却資産の意義
(2)　固定資産税の免税点
(3)　固定資産税の徴収の方法

コメント

　第二問　1-1、2-2、3-2

過去問題

第16回（昭和41年度）

（第二問）

次の事項について説明しなさい。

1．縦覧制度

2．固定資産評価審査委員会に対する審査の申出制度　（50点）

コメント

第二問　6-2（1．は現行では固定資産課税台帳の閲覧であるため、解答不能）

第17回（昭和42年度）

（第一問）

土地に対して課する昭和42年度分の固定資産税について、課税標準および税額に関する特例の内容を説明しなさい。　（60点）

（第二問）

地方税法上、固定資産の所有者でない者が固定資産税の納税義務者となるものと定められている場合がありますが、その内容を簡単に説明しなさい。（40点）

コメント

第一問　1-4、8-2

第二問　1-3

第18回（昭和43年度）

（第一問）

昭和44年度において評価が行われる固定資産はいかなるものか、また、その評価はそれぞれいかなる価格によって行われるか、について答えなさい。（40点）

（第二問）

次の問に対し、それぞれ簡潔に答えなさい。　（60点）

（一）固定資産税の課税客体となる償却資産と、法人税法または所得税法の規定による所得の金額の計算上償却費が損金の額または必要経費に算入される減価償却資産とでは、その範囲が異なる場合があります。いかなる資産についてこのような差異を生ずるかについて述べなさい。　（30点）

（二）固定資産税の納税者が納税通知書の交付を受けたとき不服がある場合における不服申立の制度について説明しなさい。　（30点）

コメント

第一問　4-3、4-4、4-5

第二問　1-1、6-2、6-3、6-4

第19回（昭和44年度）

（第一問）

固定資産税は、原則的には、固定資産が賦課期日現在において所在する市町村が、固定資産の所有者に対して、市町村長が決定した価格を課税標準とし、これに税率を乗じて得た額を税額として課税することとなっているが、一方、これらの原則的な制度に対し特例的な制度が設けられている。課税客体が船舶である場合におけるこのような特例的な制度について説明しなさい。（50点）

コメント

第一問　1-5

第20回（昭和45年度）

（第一問）

固定資産の価格等のすべてを登録した旨の公示の日以後において、固定資産課税台帳に登録された価格等が修正される場合があります。いかなる場合において修正が行われるか述べなさい。（50点）

コメント

第一問　7-1

第21回（昭和46年度）

（第一問）

甲は乙から償却資産である建設機械を年賦で購入しましたが、その建設機械の所有権は、代金の支払いが完済されるまで乙が留保することとしました。その場合におけるその建設機械に対して課する固定資産税の納税義務について述べなさい。（40点）

コメント

第一問　1-3

第22回（昭和47年度）

（第一問）

昭和47年１月１日に所在する土地で昭和46年度において新たに固定資産税が課されたものにかかる次の事項について説明しなさい。

ただし、当該土地は、昭和46年中に地目の変換その他これに類する特別の事情はなく、また、登記簿に登記されているものとします。

１．昭和47年度分の固定資産税の課税標準

２．昭和47年度分の固定資産税の額

3．昭和47年度における土地課税台帳の登録事項　（60点）

（第二問）

建物の区分所有等に関する法律第２条第３項の専有部分の属する家屋（同法第３条第２項の規定により共用部分とされた附属の建物を含む。）に対して課する固定資産税については、納付義務その他について一般の家屋に対する特例が認められています。いかなる特例が認められているか説明しなさい。　（40点）

コメント

第一問　1-4、5-1、8-2

第二問　8-1

第23回（昭和48年度）

（第一問）

次の問に対し、簡潔に答えなさい。

1．固定資産税の免税点について説明しなさい。

2．固定資産の申告について説明しなさい。

3．固定資産課税台帳に登録された価格について、固定資産評価審査委員会に審査の申出をすることができない場合について説明しなさい。　（60点）

（第二問）

法人が所有する土地（農地を除く）に対して課する昭和48年度分の固定資産税の税額の算定について説明しなさい。なお、その土地は、昭和38年度以降引き続き固定資産税が課されており、かつ、同年度に係る賦課期日以降地目の変換その他これに類する特別の事情はなかったものとします。　（40点）

コメント

第一問　2-2、4-1、6-2

第二問　8-2

第24回（昭和49年度）

（第一問）

次の事項について、簡潔に述べなさい。

1．固定資産税における台帳課税主義

2．昭和49年度分の固定資産税にかかる仮算定税額による徴収　（60点）

（第二問）

昭和49年度及び昭和50年度にかかる賦課期日において、法人の所有する住宅用地である土地の昭和49年度分及び昭和50年度分の固定資産税額の算定について述べなさい。

なお、当該土地は、昭和48年1月1日において、法人の所有する非住宅用地であったものとし、又、当該土地については、昭和38年度において既に宅地等であり、その後地目の変換その他これに類する特別事情はなかったものとする。

(40点)

コメント

第一問　3-2、5-1

第二問　8-2

第25回（昭和50年度）

(第一問)

次の事項について簡潔に述べなさい。

1．固定資産を有料で借り受けた者が、その固定資産を非課税用途に使用した場合における固定資産税の課税関係

2．市街化区域農地に係る昭和50年度分の固定資産税額　(60点)

(第二問)

電気事業の用に供する償却資産に対して課する固定資産税の課税団体、評価及び価格の決定並びに課税標準について述べなさい。　(40点)

コメント

第一問　2-1、8-3

第二問　1-2、1-5、4-4

第26回（昭和51年度）

(第一問)

次の事項について、簡潔に述べなさい。

1．固定資産税の納税義務者

2．市街化区域農地の固定資産税にかかる減額制度　(60点)

(第二問)

個人Aは、昭和50年7月に、B不動産株式会社が昭和49年中に造成を完了した宅地300平方メートルを同会社から取得し、直ちに所有権移転登記を済ませた。Aは、昭和51年4月から同宅地上に80平方メートルの専用住宅の建築を始め、同年10月に完成し転居した。この事例の場合における上記宅地にかかる昭和51年度分及び昭和52年度分の固定資産税額の算定方法について述べなさい。　(40点)

コメント

第一問　1-3（2．は現在、未学習）

第二問　8-2

過去問題

第27回（昭和52年度）

次の事項について簡潔に述べなさい。

1．固定資産税における賦課期日の意義

2．固定資産課税台帳の縦覧制度（※　現行では「閲覧制度」）

コメント

1．テーマ1

2．5-2

第28回（昭和53年度）

固定資産税の課税客体である固定資産の所有者は、原則として、その価格を課税標準としてこれに当該固定資産所在の市町村が採用する税率を乗じて得た税額を納付する義務を負いますが、適法にこの税負担の全部又は一部を負わない場合として、どのような場合があるかを類型ごとに挙げて、それぞれについて簡潔に説明しなさい。

コメント

2-1、2-2

第29回（昭和54年度）

次の事項について、簡潔に説明しなさい。

1．固定資産税の課税客体である償却資産及びその申告制度について

2．固定資産評価審査委員会に対する審査の申出について

コメント

1．1-1、4-1

2．6-2

第30回（昭和55年度）

次の事項について、簡潔に説明しなさい。なお、これらの事項についての意義や制度創設の趣旨について述べる必要はない。

1．固定資産税における仮徴収の制度の内容について

2．市街化区域農地に係る固定資産税の減額について

コメント

1．3-2

2．現在、未学習

第31回（昭和56年度）

次の事項について、簡潔に説明しなさい。

１．固定資産税の税率

２．移動性償却資産又は可動性償却資産に対する課税団体

コメント

１．3-2

２．1-2

第32回（昭和57年度）

次の事項について説明しなさい。

１．固定資産税の課税客体

２．市街化区域農地の固定資産税に係る徴収猶予及び納税義務の免除

コメント

１．1-1

２．現在、未学習

第33回（昭和58年度）

１．昭和58年度分の土地に対して課する固定資産税に係る固定資産税課税台帳について、地方税法上定められている登録事項とその内容を詳述しなさい。

２．船舶に対して課する固定資産税の課税標準と、その価格等の配分について説明しなさい。

コメント

１．5-1

２．1-5

第34回（昭和59年度）

次の事項について、簡潔に説明しなさい。

(1) 償却資産に係る固定資産税の課税標準の決定手続

(2) 固定資産評価員

コメント

(1) 4-3、4-4、4-5

(2) 4-2

過去問題

第35回（昭和60年度）

甲が所有する土地及び家屋に係るある年度分の固定資産税額が、前年度分の固定資産税額より増加する（新たに納税義務が生ずる場合も含む。）場合をすべて挙げ、それぞれについてその内容を説明しなさい。

ただし、前年度の賦課期日以後、甲による土地の取得並びに家屋の取得、新築及び増改築はないものとする。

コメント

2-1、2-2

第36回（昭和61年度）

次の事項について、簡潔に説明しなさい。

(1) 免税点

(2) 航空機に対して課する固定資産税の課税標準と課税団体

コメント

(1) 2-2

(2) 1-2、1-5

第37回（昭和62年度）

次の事項について、簡潔に説明しなさい。

(1) 固定資産税の納税義務者

(2) 固定資産評価審査委員会

コメント

(1) 1-3

(2) 6-1

第38回（昭和63年度）

1．地方税法上、固定資産税の徴収については、徴税吏員が納税通知書を当該納税者に交付することによって地方税を徴収するという普通徴収の方法によらなければならないとされており、課税権者が一方的に租税債権の内容を具体的に確定することとされている。

ところで昭和63年度の賦課期日に存する償却資産について、課税権者が租税債権を確定する処分に納税者が関与する場合として、どのような場合があるのかを挙げて、それぞれについて簡潔に説明しなさい。

2．固定資産税における固定資産の評価及び価格の決定に関して、地方税法上、道府県知事が行うこととされている（または行うことができることとされている）事項を挙げて、それぞれについて簡潔に説明しなさい。

コメント

1．4-1、6-2、6-3、6-4

2．4-4、4-5、6-3、7-1

第39回（平成元年度）

1．甲がA市に昭和63年中に新築し現に所有している一戸建住宅（家屋）Xに対して、A市が平成元年度の課税を行うために必要な一連の事務について簡潔に説明しなさい。

2．固定資産税の課税に関する不服申立ての方法について簡潔に説明しなさい。

コメント

1．3-2、4-3、5-2、5-3、7-1

2．6-2、6-3、6-4

第40回（平成２年度）

1．A町に所在する住宅Bの所有者甲が賦課期日前に死亡した。甲には乙及び丙の相続人があり、乙は住宅Bに居住しているが、遺産の分割はまだ終了していない。この場合において、A町はどのように住宅Bの固定資産税を課税することとなるか。また、甲が賦課期日後に死亡した場合にはどのように課税することとなるか、それぞれ簡潔に説明しなさい。

2．甲株式会社は、新型の機械について乙株式会社とリース契約を締結し、当該機械を事業の用に供した。この機械は、契約書では５年間のリース期間終了後、乙株式会社から甲株式会社へ無償譲渡されることとなっている。この場合における固定資産税の申告及び納付について簡潔に説明しなさい。

コメント

1．1-3

2．1-3、4-1

第41回（平成３年度）

1．製鉄業を営むA株式会社（以下「A社」という。）は、公有水面埋立地に新たに製鉄工場を建設する計画があるが、A社の経理担当者から、「固定資産税の納税義務者及び課税客体についてどうなるか。」という質問を受けた。

この質問に対してどう答えるか簡潔に説明しなさい。

2．新たにＢ県及びＣ県に軌道が連続することとなり、かつ、２県にわたり車両を運行することとなるＤ鉄道会社から償却資産の申告の相談を受けた。
この相談に対してどう答えるか、課税団体、評価及び価格の決定も含め簡潔に説明しなさい。

コメント

1．1-1、1-3
2．1-2、4-1、4-3、4-4、4-5

第42回（平成４年度）

固定資産税の課税客体となる土地及び家屋を所有する納税義務者から、当該土地及び家屋に係る固定資産の評価に不服がある場合の対応について相談を受けた。
この相談についてどう答えるか、次の事項の順に簡潔に説明しなさい。

1．固定資産課税台帳の縦覧制度について（※　現行では「閲覧制度」）
2．固定資産課税台帳の登録事項について
3．固定資産評価審査委員会に対する審査の申出について
4．争訟の方式について

コメント

1．5-2
2．5-1
3．6-2
4．6-2

第43回（平成５年度）

1．地方税法上、固定資産の所有者でない者が固定資産税の納税義務者となるものとして定められている場合をすべて列挙し、それぞれ説明しなさい。
2．移動性償却資産及び可動性償却資産に対する固定資産税の課税団体について説明しなさい。

コメント

1．1-3
2．1-2

第44回（平成６年度）

次の１及び２の各問に対し、それぞれ簡潔に答えなさい。

1．固定資産税において課税客体となる償却資産の範囲とその課税標準について説明しなさい。　（30点）

2．ある土地について平成６年３月に「山林」から「宅地」に地目変換を行い、同年中に住宅を建設した。この場合における平成７年度分の当該土地に係る固定資産税の課税について説明しなさい。（20点）

コメント

1．1-1、1-5

2．8-2

第45回（平成７年度）

次の１及び２の各問に対し、それぞれ簡潔に答えなさい。

1．固定資産税における固定資産の評価から固定資産評価審査委員会の審査の決定の過程における「市町村長」、「固定資産評価員」及び「固定資産評価審査委員会」のそれぞれの行うべき事務について相互の関係を明らかにしつつ、時系列的に説明しなさい。（30点）

2．甲（個人）は、以前からＡ市に固定資産を所有していたが、平成６年度までは固定資産税は課税されていなかった。しかしながら、平成７年度にＡ市から甲に固定資産税の納税通知書が送付されてきた。
このように、新たに固定資産税が課税されることとなる場合をすべて挙げ、それぞれについてその内容を説明しなさい。
　ただし、平成６年１月２日以降平成７年１月１日までに、甲はＡ市において土地、家屋及び償却資産の新たな取得、家屋の増改築及び償却資産の改良はないものとする。（20点）

コメント

1．4-2、4-3、5-2、5-3、6-2、7-1

2．2-1、2-2

第46回（平成８年度）

次の１及び２の問題に対し、それぞれ簡潔に答えなさい。

1．固定資産課税台帳が縦覧（※　現行では「閲覧」）に供された日以後において、固定資産課税台帳に登録された価格等が修正される場合があります。どのような場合に修正が行われ、また、その場合どのような手続がとられるかについて説明しなさい。（30点）

2．航空機に対して課する固定資産税の課税団体、評価及び価格の決定並びに課税標準について説明しなさい。（20点）

コメント

1．7-1

２．1-2、1-5、4-3、4-4、4-5

第47回（平成９年度）

次の１及び２の問題に対し、それぞれ簡潔に答えなさい。

１．固定資産税における固定資産の評価及び価格の決定に関して、地方税法上、自治大臣（※　現行では「総務大臣」）が行うこととされている事項をすべて列挙し、説明しなさい。

（25点）

２．三大都市圏内の特定市における

(1) 昭和59年度に新たに市街化区域農地になり、継続して市街化区域農地である土地

(2) 平成８年４月に市街化区域が設定され、新たに市街化区域農地となった土地に対する平成９年度の固定資産税の課税について、それぞれ説明しなさい。

（25点）

（注）１　三大都市圏内の特定市とは、次に掲げる区域内にその区域の全部又は一部が所在する市及び都の特別区をいう。

①　首都圏整備法第２条第３項に規定する規既成市街地又は同条第４項に規定する近郊整備地帯

②　近畿圏整備法第２条第３項に規定する既成都市区域又は同条第４項に規定する近郊整備区域

③　中部圏開発整備法第２条第３項に規定する都市整備区域

２　設問における市街化区域農地は、農地法第２条第２項に規定する小作地ではない。

コメント

１．4-4、6-3、7-1

２．8-3

第48回（平成10年度）

次の事項について、それぞれ簡潔に説明しなさい。

１．固定資産税の納税義務者　（30点）

２．区分所有に係る家屋及びその敷地の用に供されている土地に対する固定資産税の課税の方法　（20点）

コメント

１．1-3

２．8-1

第49回（平成11年度）

1．固定資産課税台帳の登録事項について説明しなさい。（30点）

2．固定資産税に関して科される刑罰をすべて列挙し、それぞれについて説明しなさい。（20点）

コメント

1．5-1

2．8-4

第50回（平成12年度）

1．固定資産税に関して求められている申告を列挙し、それぞれについて説明しなさい。

（注）地方税法の規定上「市町村の条例の定めるところによって申告させることができる」とされている事項については説明することを要しない。（30点）

2．固定資産評価審査委員会に対する審査の申出制度について説明しなさい。（20点）

コメント

1．4-1

2．6-2

第51回（平成13年度）

1．固定資産税の免税点について説明するとともに、次の事例における平成13年度分の土地及び家屋に係る固定資産税の免税点の適用について説明しなさい。

(1) 甲が、X市（地方自治法第252条の19第１項の市）内の別々の場所に、家屋Ａ（平成13年度の価格15万円）と、家屋Ｂ（平成12年２月新築、専用住宅、床面積40㎡、平成13年度の価格150万円）を所有している場合

(2) 乙がY市（地方自治法第252条の19第１項の市以外の市）内の別々の場所に、土地Ａ（課税標準額15万円）と、土地Ｂ（乙、丙共有名義、課税標準額40万円）を所有している場合（20点）

2．平成13年度における固定資産税の徴収について、仮徴収の制度を含め、説明しなさい。

（注）督促及び滞納処分については、述べることを要しない。（30点）

コメント

1．2-2

2．3-2

過去問題

第52回（平成14年度）

1．平成12年度から平成14年度までの固定資産税の宅地に対する税負担の調整措置の内容について説明しなさい。（30点）

2．固定資産税の基準年度における宅地評価について、市街地宅地評価法による価格決定までの評価の流れを、下に掲げる用語をすべて用いて簡潔に述べなさい。

街路、画地計算法、状況類似地域、地価下落、標準宅地、評点１点当たりの価格、用途地区、路線価

（順不同）

（20点）

コメント

1．8-2

2．理論マスター未掲載

第53回（平成15年度）

1．土地課税台帳と土地価格等縦覧帳簿との差異について、縦覧制度、閲覧制度についても触れながら述べなさい。（30点）

2．固定資産税の基準年度における家屋評価について、新増分の家屋と在来分の家屋の算出方法の違いを明らかにしながら、下に掲げる用語をすべて用いて述べなさい。

設計管理費等による補正率、再建築費評点補正率、評点一点当たりの価額、経過年数に応ずる減点補正率、物価水準による補正率、標準評点数、需給事情による減点補正率、再建築価格、損耗の程度に応ずる減点補正率

（順不同）

（20点）

コメント

1．5-2、5-3

2．理論マスター未掲載

第54回（平成16年度）

1．固定資産の価格に係る不服審査について、下に掲げる用語をすべて用いて簡潔に述べよ。

価格等の決定、固定資産課税台帳の登録、台帳登録の公示、土地価格等縦覧帳簿・家屋価格等縦覧帳簿、納税通知書の送付、固定資産評価審査委員会への審査の申出、審査の決定、裁判所への取消しの訴え（25点）

2．市街化区域農地の課税と評価について、一般の農地との相違にもふれながら述べよ。（25点）

コメント

1．4-3、5-3、6-2

2．8-3

第55回（平成17年度）

1．固定資産税における不動産登記の関わりについて、土地の地積の認定方法にも言及しつつ、以下の言葉を全て用いて述べよ。

固定資産課税台帳、登録事項、登記所からの通知、現況の地積、固定資産評価基準、地積調査（25点）

2．固定資産税の課税客体である償却資産の申告・評価について、以下の言葉を全て用いて述べよ。

減価償却費、損金、事業用資産、未稼働、必要経費、法人税法、総務大臣、虚偽の申告、大規模の償却資産（25点）

コメント

1．5-1

2．1-1、4-1、4-3、4-4、4-5

第56回（平成18年度）

1．固定資産評価員及び固定資産評価補助員について述べなさい。（25点）

2．複数の県をまたがり車両を運行する鉄道会社からの当該車両に係る償却資産の申告について、課税団体、評価及び価格の決定も含めて述べなさい。（25点）

コメント

1．4-2

2．1-2、4-1、4-4

第57回（平成19年度）

1．納税者に対する固定資産税の情報開示について、次に掲げる用語をすべて用いて述べなさい。

課税明細書、路線価、縦覧、閲覧、借地人・借家人、固定資産課税台帳の証明制度（25点）

2．次の土地について、固定資産税に係る負担調整措置の仕組みを述べなさい。
商業地、小規模住宅用地、一般市街化区域農地、特定市街化区域農地
(25点)

コメント
1．3-2、4-3、5-2、5-3
2．8-2、8-3

第58回（平成20年度）
1．固定資産税における申告制度について、下に掲げる用語をすべて用いて述べなさい。
償却資産、総務大臣、大規模の償却資産、申告期限の延長、納税管理人、住宅用地、不申告の場合の不足税額の追徴、過料、虚偽の申告　(25点)
2．固定資産税の納税義務者について、下に掲げる用語をすべて用いて述べなさい。
登記簿、台帳、地上権者、賦課期日前に死亡、共有物、震災、信託償却資産、特定附帯設備、所有権留保、区分所有家屋の敷地　(25点)

コメント
1．4-1
2．1-3

第59回（平成21年度）
1．固定資産税の徴収に関する以下の事項について、その内容の説明をしなさい。
(1) 普通徴収
① 普通徴収の方法
② 納税通知書及び課税明細書の記載事項及び交付方法
(2) 仮徴収
① 仮徴収の方法
② 徴収税額の清算方法
③ 仮徴収の納税通知書の記載事項及び交付方法
④ 仮算定税額に係る固定資産税の修正の申出
⑤ 道府県が課する場合の仮徴収の方法
2．固定資産税に関して科される以下の刑罰について、その内容を説明しなさい。
(1) 固定資産税に係る検査拒否等に関する罪
(2) 固定資産税の脱税に関する罪
(3) 固定資産税に係る滞納処分に関する罪

コメント

1．3-2

2．8-4

第60回（平成22年度）

1．次の償却資産に対して課する固定資産税の課税団体について説明しなさい。

① 移動性償却資産及び可動性償却資産

② 大規模の償却資産 (20点)

2．市街化区域内の農地及び生産緑地地区の区域内の農地に対する固定資産税の評価及び課税について説明しなさい。 (30点)

コメント

1．1-2

2．8-3

第61回（平成23年度）

1．土地価格等縦覧帳簿及び家屋価格等縦覧帳簿の制度に関する以下の事項について説明しなさい。

(1) 制度の趣旨

(2) 土地価格等縦覧帳簿

(3) 家屋価格等縦覧帳簿

(4) 土地価格等縦覧帳簿及び家屋価格等縦覧帳簿の作成及び縦覧

(5) 道府県知事の勧告により価格等を修正した場合の作成及び縦覧

(20点)

2．固定資産評価審査委員会に対する審査の申出に関する以下の事項について、その内容を説明しなさい。

(1) 審査の申出

(2) 審査の申出ができない事項

(3) 審査の決定の手続

(4) 争訟の方法

(5) 抗告訴訟の取扱い

(6) 市町村長の価格等の修正

(30点)

コメント

1．5-3

2．6-2

過去問題

第62回（平成24年度）

1．固定資産評価員及び固定資産評価補助員について説明しなさい。

（25点）

2．区分所有に係る家屋及びその敷地の用に供されている土地に対する固定資産税の課税の方法について説明しなさい。

（25点）

コメント

1．4-2

2．8-1

第63回（平成25年度）

問１　市町村長が固定資産課税台帳に登録すべき固定資産の価格等のすべてを登録し、その旨を公示した日以後において、固定資産課税台帳に登録された価格が修正される場合としてどのようなものがあるか、また、その場合にどのような手続きがとられるか説明しなさい。

（25点）

問２　平成24年９月30日に個人Ａが取得し、平成25年３月31日に個人Ａから個人Ｂに所有権が移転された家屋を例に、当該家屋が所在する市町村における平成25年度の固定資産税について、賦課期日、納税義務者、納期、徴収の方法、納期限に完納しない場合の督促及び滞納処分の内容を説明しなさい。

（25点）

コメント

問１．7-1

問２．1-3、3-1、3-2

第64回（平成26年度）

問１　固定資産税の免税点について、その趣旨や内容その他制度の適用に当たって考慮すべき事項について説明しなさい。

問２　固定資産課税台帳の種類及び登記簿に登記されている土地に係る当該台帳における登録事項について説明しなさい。

　また、次の場合における、登記簿に登記されている土地に係る固定資産税課税台帳に関する取り扱いと納税義務者について、台帳課税主義について述べた上で説明しなさい。

(1) 登記簿上の所有権の移転登記があった場合
(2) 売買によって所有権の異動があったが、登記簿上の所有権の移転登記がなされていない場合
(3) 登記簿上の所有者が死亡し、当該所有者の子が相続（所有）したが、登記簿上の所有権の移転登記がなされていない場合

コメント

問１．2-2
問２．1-3、5-1

第65回（平成27年度）

問１　次の点について説明しなさい。
① 土地に係る固定資産税の負担調整措置が講じられている趣旨
② 住宅用地とそれ以外の宅地について、ｎ年度の評価替えによって（ｎ－１）年度に比して評価額が変化した場合のｎ年度の固定資産税の課税標準額を求める方法
（注）　住宅用地の面積は300㎡で、当該住宅用地の上に存する住居は１戸（床面積180㎡）とする。

問２　市町村長が固定資産の価格を決定した後、納税通知書を交付するまでに行う地方税法上の手続きについて、納税者がその所有する固定資産の価格を知る手段としての観点から説明しなさい。
　また、納税者が、市町村長が決定した価格に不服がある場合の手続きについて説明しなさい。

コメント

問１．8-2
問２．4-3、5-2、5-3、6-2

第66回（平成28年度）

問１　住宅用地の特例について、下に掲げる用語をすべて用いて述べよ。なお、これらの用語を解答文において最初に使用した箇所に下線を施すこと。

専用住宅、併用住宅、小規模住宅用地、特定空家等、同一の者によって所有されていない場合、別荘、申告

過去問題

問２　固定資産税において課税客体となる償却資産の範囲及びその評価方法について、下に掲げる用語をすべて用いて述べよ。なお、これらの用語を解答文において最初に使用した箇所に下線を施すこと。

減価償却額、取得価額が少額、自動車、未稼働の状態である資産、前年中に取得された償却資産、評価額の最低限度、改良費

コメント

問１．1-4、4-1

問２．1-1（評価方法は理論マスター未掲載）

第67回（平成29年度）

問１　移動性償却資産に対する固定資産税の課税団体、事業者の申告、評価・価格等の決定及び価格等の固定資産課税台帳への登録について、船舶を例にとり、２以上の市町村にわたって使用される場合にも触れながら説明しなさい。

問２　土地課税台帳の閲覧制度と土地価格等縦覧帳簿の縦覧制度に関して、相互の相違点を踏まえつつ、その趣旨、対象期間、対象者及び対象項目について説明しなさい。

コメント

問１．1-2、4-1、4-3、4-4、4-5

問２．5-2、5-3

第68回（平成30年度）

問１　区分所有家屋及びその敷地の用に供されている土地に対する固定資産税の課税の方法について、居住用超高層建築物に対する課税方法についても触れながら説明しなさい。

問２　平成30年度における商業地等の土地に係る固定資産税額が、平成31年度において変動する場合として考えられるケースについて説明しなさい。

コメント

問１．8-1

問２．8-2

第69回（令和元年度）

問１　基準年度における、土地及び家屋の固定資産税の賦課及び徴収に関し、賦課期日から納期限までに地方税法に基づき市町村（市町村長を含む。）が行わなければいけない事項について説明しなさい。

問２　固定資産税の課税と不動産登記との関係について（市町村長と登記所との関係を含む。）について説明しなさい。

コメント

問１．3-2、4-3、5-2、5-3、7-1

問２．5-1

第70回（令和２年度）

問１　納税義務者が固定資産税の納税通知書の内容が適正かを確認するための制度及び内容に不服がある場合に取り得る制度について説明しなさい。

問２　以下の事例について、令和２年度、令和３年度、令和４年度、令和５年度及び令和６年度の土地甲に係る固定資産税の納税義務者は誰か、その根拠を明らかにした上で説明しなさい。

【事例】

・　土地甲について、令和２年１月１日時点において、Ａが不動産登記簿に所有者として登記されている。

・　Ａは令和２年３月31日に死亡した。

・　民法上、Ａの相続権を有する者は、妻Ｂ、子Ｃ及びＤであり、法定相続分はＢが１/２、Ｃ及びＤが１/４となっている。

・　令和３年１月15日に法定相続分による所有権移転登記が完了した。

・　その後、遺産分割協議の結果、土地甲はＣが単独で所有することとなり、令和４年４月１日にＣの単独所有とする所有権移転登記が完了した。

・　その後、Ｃは土地甲のうち、１/２の持分をＸに売却することとなり、令和４年12月20日売買契約が成立、令和５年１月６日に所有権移転登記が完了した。

コメント

問１．4-3、5-2、5-3、6-2、6-4

問２．1-3

過去問題

第71回（令和３年度）

問１　地方税法に規定されている固定資産税に関する申告制度について、その趣旨及び内容（申告の対象となる者、申告先、申告すべき事項）について説明しなさい。

問２　土地名寄帳及び家屋名寄帳について説明した上で、固定資産税の免税点について、その趣旨、内容及び免税点の判定方法について説明しなさい。

コメント

問１．4-1

問２．2-2

第72回（令和４年度）

問１　固定資産税の課税における都道府県の役割について、網羅的に説明しなさい。

問２　住宅用地に対する固定資産税の課税標準の特例措置について説明した上で、次の(1)～(3)の家屋の敷地に対する当該特例措置の適用について説明しなさい。

(1)　１階は店舗、２階は住居として使用されている家屋

(2)　専ら保養の用に供されている家屋

(3)　空家等対策の推進に関する特別措置法に規定する特定空家等

コメント

問１．1-2、4-4、4-5、6-3、7-1

問２．1-4

第73回（令和５年度）

問１　固定資産税の納税義務者に対する情報開示制度のうち、縦覧制度、固定資産課税台帳の閲覧制度及び台帳記載事項の証明制度の３つについて、それぞれの制度の趣旨、制度を活用できる期間、活用できる者の範囲、縦覧・閲覧・証明を受けることができる項目について、比較して説明しなさい。

問２　固定資産課税台帳の種類及びその概要について説明しなさい。

その上で、以下の場合について、固定資産税の納税義務者が誰となるのかについて、その理由も含めて説明しなさい。なお、Ａ、Ｂ、Ｃ、Ｄ、Ｅ、Ｆ及びＧは、いずれも個人とする。

(1) 登記簿に登記されている土地について、ＡからＢへの売買によって所有権が移転し、賦課期日前に登記簿上の所有権の移転登記がされている場合における当該土地の納税義務者

(2) 登記簿に登記されている土地について、賦課期日前にＣからＤへ売買によって所有権の移転があったが、登記簿上の所有権の移転登記がされなかった場合における当該土地の納税義務者

(3) Ｅが賦課期日前に家屋を建築したが、当該家屋の登記がされていない場合における当該家屋の納税義務者

(4) 賦課期日前に土地の登記簿上の所有者であるＦが死亡し、Ｆの子であるＧが相続（所有）したが、登記簿上の所有権の移転登記が行われなかった場合における当該土地の納税義務者（Ｆの相続人はＧのみとする。）

コメント

問１．5-1、5-2、5-3

問２．1-3、5-1

税理士受験シリーズ

2025年度版　43　固定資産税　理論マスター

（昭和61年度版　1985年1月10日　初版　第1刷発行）

2024年8月23日　初　版　第1刷発行

編著者　TAC株式会社（税理士講座）
発行者　多田敏男
発行所　TAC株式会社　出版事業部（TAC出版）
〒101-8383
東京都千代田区神田三崎町3-2-18
電話03(5276)9492(営業)
FAX 03(5276)9674
https://shuppan.tac-school.co.jp
印　刷　株式会社ワコー
製　本　株式会社常川製本

ISBN 978-4-300-11343-1
N.D.C. 336

乱丁・落丁による交換，および正誤のお問合せ対応は，該当書籍の改訂版刊行月末日までといたします。なお，交換につきましては，書籍の在庫状況等により，お受けできない場合もございます。
また，各種本試験の実施の延期，中止を理由とした本書の返品はお受けいたしません。返金もいたしかねますので，あらかじめご了承くださいますようお願い申し上げます。

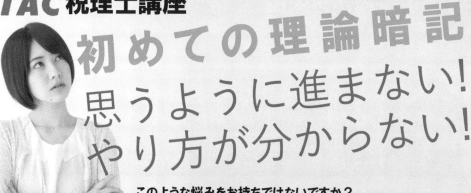

全国公開模試

6月中旬実施!

全11科目実施

TACの模試はここがスゴイ!

① 信頼の母集団

2023年の受験者数は、会場受験・自宅受験合わせて10,316名! この大きな母集団を分母とした正確な成績(順位)を把握できます。

信頼できる実力判定

10,316名が受験!

※11科目延べ人数

② 本試験を擬似体験

全国の会場で緊迫した雰囲気の中「真の実力」が発揮できるかチャレンジ!

③ 個人成績表

現時点での全国順位を確認するとともに「講評」等を通じて本試験までの学習の方向性が定まります。

④ 充実のアフターフォロー

解説Web講義を無料配信。また、質問電話による疑問点の解消も可能です。

※TACの受講生はカリキュラム内に全国公開模試の受験料が含まれています(一部期別申込を除く)。

直前オプション講座

最後まで油断しない!
ここからのプラス5点!

6月中旬〜
8月上旬実施!

【重要理論確認ゼミ】
〜理論問題の解答作成力UP!〜

【ファイナルチェック】
〜確実な5点UPを目指す!〜

【最終アシストゼミ】
〜本試験直前の総仕上げ!〜

全国公開模試および直前オプション講座の詳細は4月中旬発刊予定の
「全国公開模試パンフレット」「直前オプション講座パンフレット」をご覧ください。

(2024年2月現在)

書籍のご購入は

1 全国の書店、大学生協、ネット書店で

2 TAC各校の書籍コーナーで

資格の学校TACの校舎は全国に展開!
校舎のご確認はホームページにて

資格の学校TAC ホームページ
https://www.tac-school.co.jp

3 TAC出版書籍販売サイトで

CYBER BOOK STORE TAC出版書籍販売サイト

TAC 出版 で 検索

24時間ご注文受付中

https://bookstore.tac-school.co.jp/

新刊情報をいち早くチェック!

たっぷり読める立ち読み機能

学習お役立ちの特設ページも充実!

TAC出版書籍販売サイト「サイバーブックストア」では、TAC出版および早稲田経営出版から刊行されている、すべての最新書籍をお取り扱いしています。

また、会員登録(無料)をしていただくことで、会員様限定キャンペーンのほか、送料無料サービス、メールマガジン配信サービス、マイページのご利用など、うれしい特典がたくさん受けられます。

サイバーブックストア会員は、特典がいっぱい!(一部抜粋)

通常、1万円(税込)未満のご注文につきましては、送料・手数料として500円(全国一律・税込)頂戴しておりますが、1冊から無料となります。

専用の「マイページ」は、「購入履歴・配送状況の確認」のほか、「ほしいものリスト」や「マイフォルダ」など、便利な機能が満載です。

メールマガジンでは、キャンペーンやおすすめ書籍、新刊情報のほか、「電子ブック版TACNEWS(ダイジェスト版)」をお届けします。

書籍の発売を、販売開始当日にメールにてお知らせします。これなら買い忘れの心配もありません。

みんなが欲しかった!
TAC税理士講座 編
第7版
税理士 財務諸表論
計算問題の解き方
これで本試験も怖くない!
現役講師の㊙テクニックを完全公開

書籍の正誤に関するご確認とお問合せについて

書籍の記載内容に誤りではないかと思われる箇所がございましたら、以下の手順にてご確認とお問合せをしてくださいますよう、お願い申し上げます。
なお、正誤のお問合せ以外の**書籍内容に関する解説および受験指導などは、一切行っておりません。**
そのようなお問合せにつきましては、お答えいたしかねますので、あらかじめご了承ください。

1 「Cyber Book Store」にて正誤表を確認する

TAC出版書籍販売サイト「Cyber Book Store」のトップページ内「正誤表」コーナーにて、正誤表をご確認ください。

CYBER BOOK STORE TAC出版書籍販売サイト

URL:https://bookstore.tac-school.co.jp/

2 1の正誤表がない、あるいは正誤表に該当箇所の記載がない ⇒ 下記①、②のどちらかの方法で文書にて問合せをする

★ご注意ください★

お電話でのお問合せは、お受けいたしません。
①、②のどちらの方法でも、お問合せの際には、「お名前」とともに、
「対象の書籍名(○級・第○回対策も含む)およびその版数(第○版・○○年度版など)」
「お問合せ該当箇所の頁数と行数」
「誤りと思われる記載」
「正しいとお考えになる記載とその根拠」
を明記してください。
なお、回答までに1週間前後を要する場合もございます。あらかじめご了承ください。

① ウェブページ「Cyber Book Store」内の「お問合せフォーム」より問合せをする

【お問合せフォームアドレス】

https://bookstore.tac-school.co.jp/inquiry/

② メールにより問合せをする

【メール宛先　TAC出版】

syuppan-h@tac-school.co.jp

※土日祝日はお問合せ対応をおこなっておりません。
※正誤のお問合せ対応は、該当書籍の改訂版刊行月末日までといたします。

乱丁・落丁による交換は、該当書籍の改訂版刊行月末日までといたします。なお、書籍の在庫状況等により、お受けできない場合もございます。
また、各種本試験の実施の延期、中止を理由とした本書の返品はお受けいたしません。返金もいたしかねますので、あらかじめご了承くださいますようお願い申し上げます。

TACにおける個人情報の取り扱いについて
■お預かりした個人情報は、TAC(株)で管理させていただき、お問合せへの対応、当社の記録保管にのみ利用いたします。お客様の同意なしに業務委託先以外の第三者に開示、提供することはございません(法令等により開示を求められた場合を除く)。その他、個人情報保護管理者、お預かりした個人情報の開示等及びTAC(株)への個人情報の提供の任意性については、当社ホームページ(https://www.tac-school.co.jp)をご覧いただくか、個人情報に関するお問い合わせ窓口(E-mail:privacy@tac-school.co.jp)までお問合せください。

(2022年7月現在)